FOPLA / AABPO

WIKI, GIF & LSD
L'encyclopédie anecdotique du Web

WIKI, GIF & LSD

L'ENCYCLOPÉDIE ANECDOTIQUE DU WEB

Matthieu Dugal   Fabien Loszach

ILLUSTRATIONS ANNIE CARBO

Table des matières

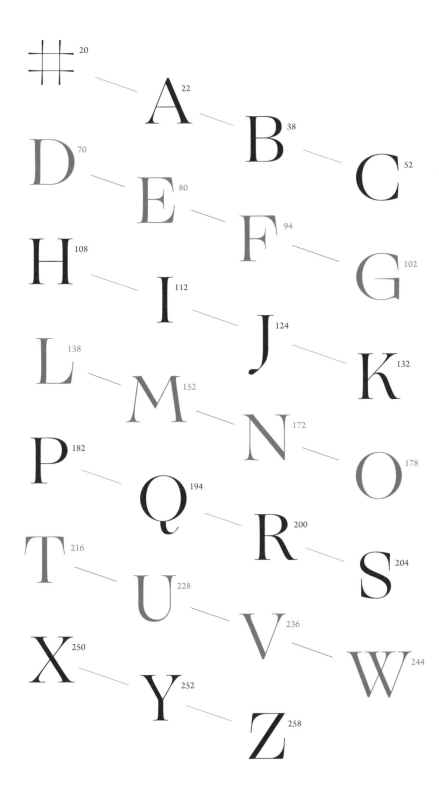

À Marianne, de mes entrailles jusqu'aux étoiles.
— Matthieu

À Carolane, qui m'offre le temps d'écrire.
— Fabien

Derrière la pomme

FABIEN LOSZACH

Pourquoi écrire un livre sur la culture numérique en 2019 ? Ne sommes-nous pas dans ce que ce que Jeremy Rifkin a appelé l'âge de l'accès avec toutes les conséquences que cela implique : gratuité, dématérialisation des supports, contenus enrichis et dorénavant multimédias ? Tout objet ayant une portée pédagogique ou informative ne devrait-il pas aujourd'hui avoir une dimension hypertextuelle pour amener le lecteur en dehors du texte ? D'autre part, au lieu de penser le livre comme un objet fini doté de caractéristiques immuables, ne faudrait-il pas plutôt le penser comme un « support », en perpétuel développement, acceptant de multiples itérations, comme on dit dans le monde du développement Web ? Il demeure que le livre physique a encore ses avantages : il se transporte aisément partout, peut être martyrisé à foison, accepte les annotations et surlignements multiples et ne disparaîtra pas en même temps que les serveurs de l'entreprise qui vous l'a vendu.

Cette question de l'immuabilité du livre est d'autant plus importante que cet ouvrage a la prétention de s'autoproclamer encyclopédique. Nous tenons ici à tempérer cette ambition démesurée par l'ajout de l'adjectif anecdotique qui souligne le caractère marginal de l'objet que vous tenez entre les mains. *WIKI, GIF & LSD – L'encyclopédie anecdotique du Web* abordera donc les grands thèmes de la culture Web à travers des chemins de traverse, des historiettes, des anecdotes. Bref, on ne parlera pas d'Apple, mais des légendes derrière la pomme, comme celle qui voudrait que son choix soit un hommage au mathématicien Alan Turing qui s'est suicidé en mangeant une pomme empoisonnée. Nous ne parlerons pas vraiment de Twitch, mais plus de ses fondateurs Justin et Emmet qui ont failli se ruiner avec Justin.tv. Pas vraiment non plus d'Amazon, mais plutôt de son Turc mécanique qui fait travailler en sous-main des milliers de personnes pour développer ses outils de reconnaissance visuelle.

L'anecdote permet en outre d'entrer dans un sujet par des chemins détournés et évite de tomber dans le contenu purement informatif — que vous trouverez en ouvrant les pages hypertextuelles et en itérations perpétuelles de Wikipédia. Pourtant, il sera essentiellement question d'information dans cet ouvrage, puisque l'informatique et l'Internet ont représenté des rêves de liberté, d'émancipation et d'égalité basés sur cette idée centrale que l'information devait être libre et librement partagée.

Certes, toutes les sociétés ont toujours été des sociétés de l'information : le développement de la parole nous a permis de mettre en place des stratégies pour chasser dans la savane ; l'écriture a rendu possible le dénombrement, la gestion des stocks et des réserves, toutes les choses qui vont de pair avec un style de vie sédentaire. L'invention de l'imprimerie a permis à tout le monde d'accéder à l'information en faisant baisser par 1000 le prix d'un livre en 100 ans. Mais Internet a quelque chose de particulier : c'est un trou noir de l'information, il aspire tous les autres médias et toute l'information disponible sur la planète.

Le discours prédominant sur Internet tenu par les technophiles et les gourous de la Silicon Valley est une vulgarisation d'un discours plus ancien faisant de l'information la clé de voûte de la société à venir. Ce culte est fondé sur une vision informationnelle du monde née de la cybernétique de Norbert Wiener dans les années 1940. Pour la cybernétique, l'information est le noyau dur d'une représentation globale du réel où tout est information, et la finalité de cette dernière est de circuler. Par rebond, tout ce qui s'y oppose est désordre, entropie. Le discours informationnel se conjugue avec l'idéal libéral de libre circulation des marchandises, des humains et des capitaux auquel s'ajoute la libre circulation de l'information.

L'information est devenue omniprésente dans notre vie. À tel point que certains, comme Alexander Bard et Jan Söderqvist, soutiennent que la différenciation sociale ne se fait désormais plus sur le plan de l'accès à l'information mais de son tri. Les gens qui s'en sortiraient le mieux sur le marché de l'emploi sont ceux qui seraient capable de trouver les bonnes données, de les comprendre, de les filtrer, de les réorganiser. Les métiers les plus en vogue aujourd'hui sont d'ailleurs ceux de la donnée, comme scientifique de données, mineur de données ou encore analyste de données.

Dans leur livre *Les Netocrates* écrit en 2000 et traduit en 2008 en français, Alexander Bard et Jan Söderqvist prévoyaient que la nouvelle société se diviserait entre nétocrates et consumariat : d'un côté les manipulateurs d'information, les créateurs de concept, les gestionnaires de réseaux, bref, ceux qui savent tirer profit de l'information et, de l'autre, les simples consommateurs d'information qui n'en tirent aucune richesse.

Quand nous avons commencé l'émission *La Sphère*, où nous nous sommes rencontrés Matthieu et moi au début des années 2010, nous avons vite été saisis par l'angoisse que représentait pour beaucoup de nos invités cette quantité d'information que nous devions traiter chaque jour.

Le théoricien des médias américain Neil Postman écrit à ce sujet dans *Technopoly: The Surrender of Culture to Technology* : « Dans un monde riche en information, la richesse de l'information signifie une pénurie de quelque chose d'autre : la rareté de ce que cette information consomme. Et ce que l'information consomme est assez évident : l'attention de ses destinataires. D'où le fait qu'une richesse d'information crée une pauvreté d'attention. » Tenez-vous bien, Postman a écrit cela en 1992.

Il avance autre chose de fondamental dans cet ouvrage ; le fait que la technologie n'est pas accumulative mais écologique. Cela signifie que la technologie ne fonctionne pas par avancées successives, mais transforme toute la culture. L'invention de l'imprimerie en Europe au milieu du XVe siècle n'entraîne pas seulement 100 ans plus tard l'avènement de la presse en Europe. Il en résulte une toute nouvelle Europe avec un nouveau système politique et une nouvelle religion, le protestantisme. La course technologique est un pacte faustien : elle donne beaucoup et elle prend beaucoup. Nous avons mis 300 ans à nous habituer aux conséquences de l'imprimerie, combien en mettrons-nous pour le numérique ?

Pas de panique !

MATTHIEU DUGAL

Contrairement à ce qu'affirment certaines traditions philosophiques, la technique ne s'oppose pas à l'humain. Nous sommes la technique. La technique est aussi imbriquée en nous que notre code génétique. Sans l'outil, pas d'humain, ou plutôt sans l'outil, pas de nature humaine. Une découverte récente a d'ailleurs fait reculer de 10 000 ans l'âge auquel nos plus lointains ancêtres auraient commencé à utiliser les premiers outils : le genre *homo* aurait commencé à utiliser des pierres il y a 2,6 millions d'années, quelque part sur l'actuel territoire de l'Éthiopie.

L'écriture n'a que 5000 ans, notre espèce, à peine 300 000. Bien avant l'écriture, bien avant la culture, donc, nos ancêtres maîtrisaient la technique. Nous avons fabriqué longtemps, très longtemps, avant de penser. Je fabrique, donc je suis.

Dans un essai d'une grande audace paru il y a presque dix ans (*Pour un humanisme numérique*), l'historien des religions Milad Doueihi a parfaitement résumé ce renversement de notre rapport à la technique, que la révolution numérique nous force à adopter. Non seulement le numérique est l'extension de cet outil sans lequel la pensée, telle que nous la connaissons, n'existerait pas, mais il est désormais beaucoup plus que cela. Le numérique fait éclater les catégories des cultures humanistes que nous croyions jusqu'ici immuables. Il est une nouvelle civilisation. Le numérique est, selon Doueihi, « le résultat d'une convergence entre notre héritage culturel complexe et une technique devenue un lieu de sociabilité sans précédent ».

L'humanisme numérique, sous des apparences de paradoxe, fait converger des prémisses jusqu'ici considérées irréconciliables. La machine nous constitue. La conversion au numérique nous force par exemple à revoir la notion d'amitié, un aspect fondamental de notre héritage culturel, mais qui a néanmoins été profondément modifié par les réseaux sociaux. Le numérique n'a pas fait disparaître ces « copains d'abord » si chers à Brassens, elle en a ajouté des variantes dans le paysage. Un anthropologue,

Nicolas Merveille, me disait récemment en entrevue que l'avénement de l'affectivité chez les robots relève de la même addition de sensibilités. Il faut plutôt la voir comme un ajout à notre attirail affectif, qui évolue depuis que nous nous en rendons compte.

Depuis le livre de Doueihi — c'était pourtant hier —, un nouvel avatar de cette civilisation du numérique a fait son apparition pour s'implanter aussi brusquement que durablement dans notre monde : l'intelligence artificielle, mal nommée selon plusieurs. Il n'en demeure pas moins que c'est par elle que l'on désigne un ensemble de techniques informatiques, qui place l'*homo sapiens*, pour la première fois de son histoire, face à une compétition cognitive. Une technologie qui nous tient la dragée haute et qui nous force carrément à revoir notre place au sommet de la pyramide de l'intelligence.

Un autre historien des religions, Yuval Noah Harari, parlait dans son essai *Homo Deus*, d'une époque, la nôtre, qui aura vu s'opérer ce qu'il appelle le « *great decoupling* », la dissociation de cette longue symbiose entre ce que nous appelons « conscience » et « intelligence ». Nous sommes aujourd'hui face à une civilisation numérique qui nous force à revoir nos catégories humanistes, mais aussi face à un nouveau sujet, qui nous donne la réplique et nous bat même dans ce qui faisait jusqu'ici notre fierté : notre créativité. Et cela ne fait que commencer.

En 1916, dans son *Introduction à la psychanalyse*, Sigmund Freud soulignait que l'histoire de l'humanité — ou devrions-nous dire l'histoire de notre humanisme — est constellée de blessures narcissiques. « Dans le cours des siècles, la science a infligé à l'égoïsme naïf de l'humanité deux graves démentis. La première fois, ce fut lorsqu'elle a montré que la terre, loin d'être le centre de l'univers, ne forme qu'une parcelle insignifiante du système cosmique dont nous pouvons à peine nous représenter la grandeur. [...] Le second démenti fut infligé à l'humanité par la recherche biologique, lorsqu'elle a réduit à rien les prétentions de l'homme à une place privilégiée dans l'ordre de la création, en établissant sa descendance du règne animal et en montrant l'indestructibilité de sa nature animale. [...] Un troisième démenti sera infligé à la mégalomanie humaine par la recherche psychologique de nos jours qui se propose de montrer au moi qu'il n'est seulement pas maître dans sa propre maison, qu'il en est réduit à se contenter de renseignements rares et fragmentaires sur ce qui se passe, en dehors de sa conscience, dans sa vie psychique. »

L'intelligence artificielle, qui bientôt écrira, composera de la musique, surveillera la naissance de tumeurs des mois avant que l'œil humain le plus avisé ne puisse les distinguer, sera-t-elle une quatrième blessure narcissique, cognitive celle-là, à ajouter au tableau de chasse de cette science dont nous sommes les créateurs ? Face à ces développements, il est facile d'adopter la position réconfortante de ce que le sociologue Stanley Cohen appelait en 1972 la « panique morale », dans son essai *Folk Devils and Moral Panics*. Une panique qui surgit quand « une condition, un événement, une personne ou un groupe de personnes est désigné comme une menace pour les valeurs et les intérêts d'une société ». Mais pour qu'il y ait blessure narcissique, il faut qu'il y ait orgueil. Ne serait-il pas temps de le remettre à sa place ?

Ce livre se veut un remède contre d'éventuels accès de fièvre de panique morale, même si, oui, rien n'est parfait au royaume du numérique. Si le numérique est une partie constitutive de notre être au même titre que notre ADN, la mainmise dont il fait l'objet par un complexe techno-industriel tout-puissant est problématique. C'est le même GAFA (Google, Apple, Facebook et Amazon) qui a notamment transformé le réseau social en dispositif de « capitalisme de surveillance », comme le dit la professeure de Harvard Shoshana Zuboff. Mais il ne s'agit pas d'une obligation. Notre avenir numérique n'est pas encore écrit.

Il se publie beaucoup d'excellents ouvrages spécialisés sur cette nouvelle civilisation numérique. Entre l'essai fouillé et les innombrables fiches Wikipédia — souvent les seuls accès du grand public à ce monde infini que constitue le numérique — cette encyclopédie sans prétention veut construire des ponts entre ce public et des concepts dont il est impératif qu'ils soient racontés.

Car au-delà de tous ces nouveaux dispositifs, au-delà de cette nouvelle culture que nous avons laissé sortir de sa lampe, s'il y a quelque chose qui restera toujours profondément humain, c'est bien le besoin de se raconter.

Embrassons ce numérique. Faisons-lui face, il s'agit de nous. Soyons à la hauteur du défi qu'il nous lance. Il ne s'agit pas de culture. Il s'agit de nature.

4CHAN

Espace de partage anonyme, principalement d'images, 4chan (ou 4channel), en anglais, est inspiré de forums japonais, comme Futaba Channel (2chan). Le site a d'ailleurs été créé pour favoriser les échanges sur des sujets liés à la culture japonaise, comme les mangas, la culture otaku et *underground*. Rapidement, le champ d'intérêt s'est élargi.

Étant donné que le site est anonyme et dépourvu de mécanismes de modération permettant de limiter les dérapages, il est souvent le théâtre d'échanges discutables. De plus, les fils de discussion disparaissent du forum de quelques semaines à quelques mois après leur publication — plus rapidement quand il s'agit de sujets plus sensibles —, ce qui crée un faux sentiment de liberté chez les millions d'internautes qui fréquentent le site chaque mois.

Le grand public a appris l'existence de 4chan lorsque des dizaines de clichés de célébrités nues y ont été diffusés en 2014. Toutefois, au-delà des (nombreux) scandales qui prennent naissance sur ce site, il demeure un endroit clé pour comprendre les sous-cultures et la nature des phéno-mènes issus du Web. Plusieurs éléments de la culture Web naissent sur 4chan avant de « migrer » vers les plateformes grand public. Les LOLcats qu'affectionne votre oncle sur Facebook, tout comme la controverse du Gamergate (voir référence), qui a enflammé les passions un peu partout à compter de 2014, sont nés sur 4chan.

Même si 4chan est, aux yeux de plusieurs, synonyme de grande liberté, ses détracteurs estiment au contraire que le site est, avec les quelques règles qu'il impose, autoritaire. Certains d'entre eux se sont donc réunis pour créer 8chan. Une partie des discussions entourant le Gamergate a pris place sur ce site lorsque le sujet a été banni de 4chan.

ACCÈS COMMUTÉ

Avez-vous connu la douce mélodie d'un ordinateur se connectant à Internet via un modem et une ligne téléphonique ? Cette musique symbolise une connexion par accès commuté (ou *dial-up Internet*) et pour la plupart d'entre nous, elle semble appartenir à une autre époque. Beaucoup de gens pensent que cette manière d'accéder à la toile fait partie du passé. Pourtant, elle est encore utilisée dans de nombreuses régions éloignées des centres urbains. En 2017, plus de 2 millions d'Américains vivant dans des régions rurales se connectaient à Internet grâce au service d'AOL « à l'ancienne », via leur ligne téléphonique. Au Canada aussi, ce type de service est offert un peu partout. Il coûte quelques dollars par mois pour un temps défini, et environ 10 $ pour un accès illimité. Toutefois, comme vous l'avez compris, ce type de connexion nécessite une ligne téléphonique fixe.

ADBLOCK

Adblock est le bloqueur de publicité le plus populaire sur le marché. Un bloqueur de publicité est un module d'extension (*plug-in*) qu'on intègre à un navigateur Web (*browser*) pour bloquer l'affichage de publicités sur les pages Web.

Avec 400 millions d'installations depuis 2006, Adblock est le module d'extension de navigateur Web le plus téléchargé de l'histoire. Ce succès explique l'usage générique du nom Adblock pour décrire la catégorie des bloqueurs de publicité.

Les bloqueurs de publicité éliminent les bannières, les recherches de mots-clés, les pop-ups, les pré-vidéos, les pages interstitielles et les publications commanditées sur Facebook. En un mot, ils bloquent l'accès de l'ordinateur aux serveurs publicitaires.

Comment ça fonctionne ? Lorsque l'utilisateur sélectionne une page Web, cette dernière a besoin de quelques millisecondes pour se charger. Pendant ce temps, les témoins (*cookies*) importés sur le navigateur lors de précédentes visites sur des sites tiers envoient des informations sur l'historique de navigation de l'utilisateur au serveur publicitaire de l'annonceur. L'annonceur affiche alors les publicités qu'il juge pertinentes pour l'utilisateur. Si par contre l'internaute a installé un bloqueur de publicité, lorsqu'il charge une page Web, la communication avec les serveurs publicitaires est bloquée, et aucune publicité ne s'affiche dans les espaces prévus à cet effet. La liste des serveurs publicitaires est constamment mise à jour par Adblock et ses communautés d'utilisateurs.

Il semble que près du quart des internautes utilisent un bloqueur de publicité. Ce choix s'explique par la multiplication du nombre de publicités apparaissant sur les pages Web, et leur aspect intrusif. Outre la traditionnelle bannière, notre navigation est plus que jamais saturée de contenus publicitaires agressants, comme des pré-vidéos (*pre-roll*) qui retardent le démarrage des vidéos, des pages interstitielles qui s'affichent avant un article, ou encore des pop-ups qui apparaissent au centre de l'écran.

La généralisation de l'automatisation dans les achats publicitaires en ligne a signé le divorce entre les internautes et la publicité. L'achat publicitaire programmatique (voir *RTB*) a en effet systématisé le ciblage comportemental en multipliant l'installation de mouchards, lesquels ont pour effet d'alourdir les fichiers publicitaires, et donc de ralentir l'affichage des pages Web.

L'avènement des bloqueurs de publicité a donc été une véritable bénédiction pour les internautes. Par contre, il a eu pour conséquence de priver les éditeurs des sites de revenus. Un problème de plus dans la liste déjà longue des problèmes qui accablent les médias à l'ère numérique.

ADWORDS

Google AdWords, qui a récemment été renommée Google Ads, est le nom de la régie publicitaire de Google. Cette dernière vend des espaces publicitaires sur Internet à des annonceurs. Elle a été créée en 2000 aux États-Unis.

La réussite de Google Ads est étroitement liée à l'efficacité de ses résultats de recherche payants (Search Ads) : des suggestions de liens publicitaires qui s'affichent en haut de la liste des résultats obtenus par l'internaute qui effectue une recherche dans le moteur de recherche de Google.

Le coup de génie de Google est d'avoir compris que la bannière Web n'était pas un format publicitaire adapté au moteur de recherche. Les publicités sous forme de texte sont plus efficaces, parce qu'elles ne sont pas intrusives et s'inscrivent dans le contexte de la recherche.

Pour l'annonceur, elles sont faciles à implanter, ne nécessitent aucune compétence ou technologie particulière, et se payent au résultat (c'est ce qu'on appelle le CPC : le coût par clic).

Les résultats de recherche payants ont fait de Google une des plus grandes entreprises du Web. En 2017, les *text ads* représentaient plus de 40 % des achats publicitaires en ligne, dans un marché numérique mondial évalué à 234 milliards de dollars américains (sur un marché publicitaire total de 592 milliards de dollars américains). Rappelons que Google — dont la maison mère s'appelle maintenant Alphabet — génère 90 % de ses revenus avec la publicité.

AIRBNB

Vous ne serez pas surpris d'apprendre que c'est à San Francisco, ville qui occupe la tête du classement des loyers les plus chers aux États-Unis, qu'est né Airbnb.

En 2007, Joe Gebbia et son colocataire Brian Chesky ont l'idée d'arrondir leurs fins de mois en hébergeant des congressistes dans leur appartement, sur des matelas gonflables. Ce qui motive leur initiative ? Leur propriétaire vient d'augmenter le loyer.

Rapidement, l'ambition grandit et le duo décide de transformer ce revenu d'appoint en véritable entreprise. Brian Chesky en parle avec son ancien colocataire, Nathan Blecharczyk, qui vient compléter l'équipe.

Pour financer leur entreprise, les trois vingtenaires inventent des céréales aux effigies des candidats à la présidentielle américaine de 2007. Les Obama O's et les Cap'n McCain's leur permettent de récolter quelques dizaines de milliers de dollars américains, avec lesquels ils créent la société Airbnb en 2008. Il s'agit d'une plateforme qui offre aux particuliers la possibilité de louer une chambre ou leur résidence au complet. L'idée enchante immédiatement les touristes, qui y voient l'occasion de vivre dans des lieux prestigieux comme des « locaux », à un prix bien inférieur à celui proposé par l'industrie hôtelière.

Airbnb fait depuis lors figure de succès emblématique de la Silicon Valley. En 10 ans, les colocs fauchés ont mué en une entreprise présente dans 191 pays, 80 000 villes, et qui compte plus de 3000 employés. À ses débuts toutefois, le système a eu du mal à trouver son public. Les visiteurs du site n'étaient pas du tout séduits par les photos amateurs des appartements. Le coup de génie de la plateforme a été de généraliser la prise de photo par des professionnels. Résultat : le moindre petit logement avait l'air d'un magnifique loft de Manhattan. Du jour au lendemain, la demande a augmenté de façon fulgurante.

En 2016, Airbnb a commencé à générer des profits, obligeant les différents paliers de gouvernement un peu partout dans le monde à réguler les pratiques de location du genre. À Paris, Berlin ou encore Barcelone, on s'inquiète de voir les logements privés devenir des hôtels, à mesure que fleurissent sur le site des habitations destinées uniquement à la location, à l'année longue… au grand désarroi des voisins.

Et l'entreprise ne compte pas s'arrêter là : dans l'optique d'offrir aux voyageurs toujours plus d'authenticité, le site fait désormais fonction à la fois d'agence de voyage et d'office du tourisme, en encourageant ses utilisateurs à proposer, en plus du logement, des « expériences », des visites guidées ou d'autres sorties découverte.

ALGORITHME

Un algorithme est une suite d'opérations mathématiques qui permet aux programmes informatiques de prendre des décisions ou de résoudre des problèmes. C'est une recette, une façon systématique de procéder à travers une suite d'instructions mise en place par un programmeur en vue d'obtenir un résultat. Les algorithmes permettent de trier des objets, de situer des villes sur une carte, de multiplier deux nombres, d'extraire une racine carrée, de chercher un mot dans le dictionnaire. Ils permettent aussi de classer des informations, de repérer des activités suspectes en ligne, de procéder à des achats automatisés, de cibler des internautes ou d'analyser des transactions.

Les algorithmes bancaires, par exemple, sont conçus pour détecter les transactions frauduleuses. Chaque fois que vous retirez de l'argent au guichet automatique, un algorithme bancaire doit décider si ce retrait est autorisé (s'il considère que c'est bien le propriétaire de la carte qui a fait l'achat) ou refusé (s'il a un doute sur l'identité du porteur de la carte). Pour cela, l'algorithme consulte une base de données qui comprend des dizaines de variables, comme les transactions récentes, le type de transaction, le montant demandé, etc. L'algorithme soupèse chacun de ces facteurs et détermine si vous êtes vraiment celui ou celle que vous prétendez être ou pas. C'est pour cette raison qu'une carte est suspendue très rapidement quand elle est utilisée de manière illicite.

Les recommandations que vous recevez lorsque vous naviguez sur Netflix, Spotify ou Amazon proviennent d'algorithmes basés sur une technique de « filtrage collaboratif ». L'algorithme compare votre profil à ceux d'autres internautes qui ont effectué la même action que vous. De façon probabiliste, l'algorithme soupçonne que vous pourriez aimer tel produit, parce que des personnes qui vous ressemblent l'ont aimé avant vous. L'algorithme se fie sur la régularité des structures de goût et d'intérêts des utilisateurs pour rendre prévisibles les rapprochements entre produits recommandés.

Ces systèmes invisibles se sont infiltrés dans toutes les sphères d'activité qui régissent notre quotidien : la culture, le savoir, l'information, la santé, les transports, le travail, les finances, etc. Leur omniprésence les transforme en objets de pouvoir, au sens que Michel Foucault donnait à ce terme, c'est-à-dire ayant la capacité de dicter des conduites (Foucault, 1982). On n'en est pas vraiment conscients, mais les algorithmes influencent notre rapport au monde.

Face à eux, nous faisons souvent figure d'illettrés. En effet, ces architectures techniques qui appartiennent généralement à des entreprises privées sont des systèmes opaques et peu transparents. Nous ne savons presque rien d'elles, nous ne connaissons ni leur mode de fonctionnement ni les critères utilisés pour trier l'information et les données.

À ce sujet, le travail de la journaliste Judith Duportail sur les secrets de l'algorithme de l'application de rencontre Tinder est édifiant. Dans *L'Amour sous algorithme*, elle explique que l'algorithme de Tinder utilise une note secrète de « désirabilité » (aussi appelé *Elo score*) pour classer ses utilisateurs selon le niveau de scolarité, le niveau de langue des messages, le taux de succès, la géolocalisation, etc.

Dans cet ouvrage, Judith Duportail rappelle aussi que cet algorithme n'est pas neutre, et qu'il reproduit les inégalités de genres qui s'observent dans la société. Une femme hétérosexuelle aurait tendance à se voir recommander des profils d'hommes plus éduqués, plus âgés et plus aisés qu'elle. Un homme hétérosexuel se verrait quant à lui proposer une femme plus jeune, ayant fait moins d'études et gagnant moins bien sa vie que lui.

ALIBABA

Même si Alibaba n'a pas l'envergure de son pendant américain Amazon, ce géant du commerce de détail en ligne chinois est un concurrent qui a aussi bien réussi à diversifier son offre : produits d'alimentation, stockage dans le nuage (*cloud*), plateforme de paiement en ligne (Alipay), système de messagerie instantanée, médias (Alibaba est propriétaire du quotidien *South China Morning Post*).

Et les ambitions de son fondateur, Jack Ma, troisième fortune de Chine, sont immenses. Grâce à des stratégies novatrices et audacieuses, le pdg de l'entreprise rêve même de battre Amazon. Et il pourrait y arriver ! En mai 2018, le magazine *Fortune* remarquait que la croissance d'Alibaba dépassait de 50 % les prévisions des experts. Déjà, Alibaba affiche un volume de ventes supérieur à celui de Walmart. Des résultats somme toute logiques si on considère que, depuis 2010, la Chine possède la plus grande force manufacturière au monde.

ALLEN, PAUL

L'histoire de l'aviation est constellée de riches gens d'affaires qui se sont adonnés au pilotage ou au financement de la recherche aéronautique après avoir fait fortune dans un autre domaine. Parmi eux, on peut citer Roland Garros (qui a donné son nom aux Internationaux de France de tennis). Fils d'un avocat prospère, il est devenu célèbre pour ses exploits sportifs dans un cirque aérien dirigé par un franco-canadien nommé John Moisant, avant de perdre la vie lors d'un combat aérien à la fin de la Première Guerre mondiale. Un peu plus tôt, en 1897, Alberto Santos-Dumont, Brésilien issu d'une famille ayant fait fortune dans les plantations de café, avait gagné la France pour devenir le premier pilote de l'histoire à obtenir un brevet de pilote de ballon, de dirigeable et d'aéroplane. À l'époque, créer, tester et voler sur des engins à la fine pointe de la technologie était un passe-temps réservé à quelques riches dilettantes.

Au beau milieu de la Seconde Guerre mondiale, alors que les premiers radars font leur apparition dans les avions, le grand industriel Henry Kaiser décide de financer un projet pharaonique : un avion monstrueux, destiné à remplacer les *Liberty ships*, les bateaux que son entreprise construit pour ravitailler l'Europe et qui se font couler par centaines par les redoutables U-Boote (abréviation de *Unterseeboot*, qui signifie « sous-marin » en allemand). Avec l'aide de l'ingénieur, pilote et excentrique notoire Howard Hughes, naît le Hughes H-4 Hercules, qui détiendra pendant plusieurs années le titre de plus gros avion du monde. Construit entièrement en bois pour cause de rationnement des métaux stratégiques en temps de guerre, cette magnifique et gargantuesque bête à huit moteurs sera surnommée, au grand dam de Hughes, le *Spruce Goose*, (l'« oie d'épinette »). Un surnom trompeur puisque l'avion est fait de bouleau. Terminé après la guerre, sous-motorisé, le *Spruce Goose* ne trouvera jamais d'application commerciale et Hughes ne l'arrachera de la mer qu'une seule fois, le 2 novembre 1947.

Plusieurs décennies plus tard, un autre industriel d'exception se tourne vers un ingénieur excentrique avec en tête un projet d'avion dont on pourrait dire qu'il est le descendant direct du *Spruce Goose*. Cet industriel, c'est Paul Allen, cofondateur avec Bill Gates de la compagnie Microsoft en 1975. Sept ans à peine après la création de Microsoft, Allen alors âgé de 29 ans, quitte l'entreprise à la suite d'un diagnostic de la maladie de Hodgkin, tout en gardant ses précieuses actions. En 2017, un an avant sa mort, Allen figurait en 46e position des hommes les plus riches au monde.

En 35 ans, Allen aura investi dans un nombre impressionnant de projets : du football américain professionnel (les Seahawks de Seattle) au soccer professionnel (les Sounders FC de Seattle), en passant par la culture (la maison de production de films Vulcan Productions et le Museum of Pop Culture de Seattle), la philanthropie, une collection d'avions historiques (le Flying Heritage & Combat Armor Museum), la recherche scientifique (l'Allen Institute for Brain Science et l'Allen Institute for Artificial Intelligence) et l'exploration de l'espace.

Le dernier grand projet de Paul Allen rassemblait deux de ses plus grandes passions : l'informatique et l'aéronautique. Ce projet s'appelle Stratolaunch, un avion porteur gigantesque destiné à devenir une plate-forme de lancement mobile. Le Stratolauch compte six moteurs de Boeing 747 et deux immenses fuselages reliés par une aile de 117 mètres, la plus longue jamais construite. (À titre de comparaison, l'envergure de l'Airbus 380 ne fait « que » 80 mètres). Les fusées emportant dans leur nez la charge utile (les satellites) doivent être suspendues sous la portion d'aile qui se trouve entre les deux fuselages. On promet une capacité d'emport de plus de 250 tonnes.

Selon la plupart des observateurs, le projet, bien que né d'une excellente intuition, arrive à un bien mauvais moment. Le marché du lancement commercial de satellites est actuellement congestionné. Une flopée de compagnies promettent les prix les plus bas de l'histoire de l'exploration spatiale : Jeff Bezos, le patron d'Amazon, finance Blue Origin ; Elon Musk, le patron de Tesla, connaît un grand succès avec SpaceX. Les 40 millions de dollars américains par lancement annoncés pour le Stratolaunch, s'ils paraissent bien dérisoires en comparaison des 1,6 milliards de dollars américains que chacun des 134 lancements de la navette spatiale américaine a coûté, restent prohibitifs.

Paul Allen n'aura jamais vu son Stratolaunch voler, et son rêve de créer à la fois l'une des plus grandes compagnies de logiciels au monde et l'un des plus grands succès spatiaux ne se concrétisera probablement jamais. Mais personne ne peut affirmer avec certitude que les formes et la taille science-fictionnesques du Stratolaunch n'inspireront pas un jour une nouvelle génération d'ingénieur.e.s de l'espace. Comme l'écrivait Voltaire dans son poème *Le mondain* : « Le superflu, chose très nécessaire. »

AMAZON

En 1994, Amazon se lance dans la vente de livres en ligne. Vingt-cinq ans plus tard, la compagnie est devenue un incontournable du e-commerce de détail tous azimuts, mais surtout, un leader en matière de logistique.

L'entreprise a su développer les outils nécessaires pour rendre les transactions plus fluides, notamment l'achat en un clic. Jusqu'en 2017, elle détenait même un brevet pour cette technologie, qui permet à un site Internet de conserver les informations de paiement de l'utilisateur. Apple (voir référence) et d'autres géants lui versaient alors des redevances pour en faire usage.

Mais Amazon, c'est aussi un système de livraison redoutablement efficace : dans certaines régions des États-Unis, la livraison de produits donnés est possible en deux heures. Dans plusieurs grandes villes canadiennes, on parle même de livraison en 24 heures. Ce tour de force exige à la fois d'avoir des entrepôts un peu partout — et ils sont de plus en plus nombreux —, une logistique impeccable permettant de trouver les produits cherchés parmi les stocks immenses, et un service de livraison à la fine pointe de la technologie.

ANONYMOUS

Par le biais d'attaques par déni de service ou d'autres piratages informatiques, le célèbre collectif d'*hacktivistes* Anonymous a fait la guerre autant à des dictatures qu'à des groupes industriels tels que Sony ou PlayStation Network, qui avaient poursuivi des *hackers* en justice.

Le collectif existe depuis le début des années 2000, mais il s'est fait connaître du grand public en 2008, en s'attaquant à l'Église de scientologie avec le projet Chanology.

Sa devise est : « Nous sommes Anonymous. Nous sommes légion. Nous ne pardonnons pas. Nous n'oublions pas. Redoutez-nous. »

L'emblème du collectif, le fameux masque porté par les membres d'Anonymous, s'inspire du visage de Guy Fawkes, un personnage historique britannique qui a participé en 1605 à la conspiration des Poudres, dont l'objectif était de détruire la Chambre des Lords. Personnage qui a repris vie grâce au dessinateur britannique David Lloyd dans la célèbre série de bandes dessinées *V pour Vendetta*.

AOL

En 2008, dans le très beau film *Be Kind Rewind* (*Vidéo sur demande*), mettant en vedette Jack Black et Mos Def, Michel Gondry faire revivre les beaux jours d'une culture technologique qui n'aura duré qu'une trentaine d'années, de la fin des années 1970 jusqu'au milieu des années 2000 : le club vidéo, emblème d'une époque du divertissement avec ses tapis commerciaux fatigués, ses néons blafards, son odeur de poussière et de popcorn refroidi. Pas étonnant qu'à la même époque, on ait décidé de livrer le Web alors naissant de la même manière : par le truchement d'un support physique. La disquette de trois pouces et demi d'AOL (America Online) est au Web ce que la cassette VHS est au cinéma-maison : une madeleine. La disquette est synonyme de l'arrivée dans nos vies d'une nouvelle forme de communication. Un sésame de plastique accompagnant souvent le magazine du même nom. Elle sera plus tard remplacée par un CD-ROM, contenant lui aussi des codes d'accès au Web. AOL a été le premier fournisseur d'accès à Internet de bien des internautes du milieu des années 1990. En 1997, la moitié des foyers ayant accès au Web aux États-Unis utilisaient AOL.

Si AOL fait aujourd'hui figure de dinosaure qui a été avalé par le géant de la téléphonie mobile Verizon (qui l'a regroupé sous la bannière Oath avec Yahoo, un autre ex-empereur d'un monde révolu), la longue aventure de cette compagnie permet de se rendre compte que, même lorsqu'on a une bonne idée, *timing is everything*, comme on dit à Menlo Park.

Car en effet, les bonnes idées n'ont pas manqué dans l'histoire de la compagnie. Dès 1983, sous le nom de Control Video Corporation (CVC), elle proposait de louer des jeux en ligne pour… 1 $. Comment ? En branchant sa console Atari sur sa ligne téléphonique. CVC n'a pas survécu bien longtemps, mais on peut dire aujourd'hui qu'elle a ouvert la voie à une industrie qui est devenue un colosse plus gros qu'Hollywood.

William von Meister, fondateur de CVC, avait du flair, mais l'histoire raconte aussi qu'il provenait d'une lignée prestigieuse : son père était le filleul du dernier empereur allemand, le Kaiser Guillaume II, lui-même petit-fils de la reine Victoria du Royaume-Uni. Sa mère était comtesse. Avant CVC, avant America Online, von Meister avait lancé, en 1979, un service appelé The Source, qui ne proposait ni plus ni moins que le Web, 10 ans avant le Web.

Von Meister avait imaginé un système de transmission d'informations basé sur l'architecture d'Internet, comme le Web de Tim Berners-Lee, un réseau qui n'avait à l'époque que 10 ans. The Source ne contenait que du texte, mais les premiers services disponibles 15 ans plus tard faisaient déjà partie de son offre : météo, cotations boursières, nouvelles, courriel, et même un horaire des compagnies d'aviation. Le prix, lui, était exorbitant. En 1984, le taux horaire d'utilisation de The Source durant le jour était d'une quarantaine de dollars américains. Durant la nuit, ce montant était divisé par trois. N'empêche : tout était là. Le porte-parole du service était un certain Isaac Asimov, auteur de science-fiction qui faisait déjà figure d'autorité à l'époque, et qui dira même lors du lancement qu'il s'agissait du début de l'ère de l'information.

Quelques années plus tard, The Source, puis CVC devinrent America Online. Le nouveau patron de l'entité, Steve Case, obtint l'autorisation du même Isaac Asimov de nommer une section du service naissant consacré à la science-fiction en son nom : ASIMOV. La boucle était bouclée : l'un des pères de la réflexion sur notre relation avec les robots avait maintenant une section qui lui rendait hommage sur l'un des premiers services d'abonnements au Web.

API

API, qui signifie *application programming interface* ou interface de programmation applicative en français, est un morceau de code qui délivre un service ou une information précise sans que l'utilisateur ait à comprendre comment cela se produit.

C'est souvent la manière la plus simple pour que des applications, des programmes ou des objets connectés s'échangent mutuellement des informations.

Plusieurs géants du Web comme Google et Facebook doivent une partie de leur succès à leurs API, pratiques pour des tiers. Par exemple, Facebook a développé une API simple et efficace pour des pages tierces qui souhaitent offrir la fonction « partager sur Facebook ».

APPRENTISSAGE EN LIGNE (e-learning)

Voici la définition que donne Thierry Karsenti, professeur à l'Université de Montréal et titulaire de la Chaire de recherche du Canada sur les technologies en éducation de l'apprentissage en ligne :

> « L'*e-learning* ou apprentissage en ligne, est le fait d'apprendre grâce au numérique, sans se trouver nécessairement dans le même endroit que son professeur. Alors qu'il y a plusieurs années, les activités étaient le plus souvent "synchrones" (le formateur est en ligne en même temps que l'apprenant), aujourd'hui, elles se font de plus en plus souvent de manière "asynchrone" (chaque apprenant choisit le moment de son apprentissage). Il y a eu au cours des dernières années deux nouveautés propres au domaine du *e-learning* : les MOOCs (pour *massive open online courses*) et le *mobile learning* (l'apprentissage nomade). Les MOOCs sont des cours en ligne, le plus souvent gratuits, qui ont la particularité d'être suivis par des milliers d'apprenants. Actuellement, on estime que plus de 90 millions d'individus suivent ce genre de cours. Certains MOOCs ont attiré

plus de 300 000 apprenants simultanément. Le *mobile learning* propose quant à lui des contenus essentiellement disponibles sur les appareils mobiles (tablette, téléphone intelligent, etc.). Les fonctionnalités de ces appareils mobiles sont intégrées aux cours (notifications, etc.). »

ARPANET

Bien avant Internet, le transfert d'information d'un ordinateur à un autre s'est d'abord effectué à l'aide de la commutation par circuits électroniques, puis grâce à un système plus flexible et efficace, la commutation par paquets (*packet switching*). ARPANET (Advanced Research Projects Agency Network) a été le premier réseau à réussir la commutation de paquets. Il s'agissait d'un projet développé par la Defense Advanced Research Projects Agency (DARPA), une agence du département de la Défense des États-Unis chargée de la recherche et du développement des nouvelles technologies destinées à un usage militaire. Comme c'est souvent le cas, ce sont donc des fonds militaires qui ont permis de développer ces technologies.

Étant donné que l'ensemble des informations à partager sont segmentées en « paquets », la commutation de paquets est une technologie qui utilise les lignes de transmission de manière efficace et résiste particulièrement bien aux pannes. Le 29 octobre 1969, Charles S. Kline, un étudiant en programmation, envoie le tout premier message sur ARPANET de l'université de Californie à Los Angeles (UCLA) au Stanford Research Institute. Le texte du message est le mot « login », mais seules les lettres « l » et « o » sont transmises avant que le système plante. Environ une heure plus tard, lors d'une nouvelle tentative, le mot « login » est envoyé au complet.

Par la suite, au cours des années 1970, les universités seront de plus en plus « branchées » entre elles, alors que le réseau militaire se développe parallèlement. Dans les années 1980, ARPANET se divise officiellement en deux réseaux aux vocations distinctes : MILNET (Military Network) pour les utilisations militaires et NSFNET (National Science Foundation Network) pour les communications entre universités.

ASTROTURFING

Dans les années 1970, le président américain Richard Nixon faisait envoyer par l'entremise de son cabinet des lettres louant sa politique au courrier des lecteurs des principaux journaux américains. L'opération visait à faire croire au soutien de la base électorale.

L'*astroturfing* (désinformation populaire planifiée en français) est une technique de propagande médiatique permettant de simuler l'activité d'une foule. Elle vise à donner l'impression d'un comportement naturel et spontané ou d'une opinion populaire. C'est donc de la manipulation. Si les techniques d'*astroturfing* existaient avant la généralisation de l'accès à Internet, elles se sont multipliées avec l'apparition des réseaux sociaux.

Le terme fait directement référence à la marque de gazon artificiel Astro Turf. En effet, la technique consiste à simuler un mouvement citoyen issu de la société civile, ce qu'on appelle en anglais *grassroots movement* (littéralement « racines d'herbe »). Paradoxalement, l'*astroturfing* est au contraire un mouvement créé de toute pièce et donnant l'illusion d'être populaire.

L'une des principales techniques d'*astroturfing* en ligne consiste à multiplier les mentions d'un même mot-clé cliquable (mot-clic ou *hashtag*) sur Twitter pour que ce dernier devienne « sujet tendance » (*trending topic*, symbolisé par #TT) sur la plateforme, ce qui lui permet de jouir d'une grande visibilité.

Il existe différentes manières de mener une campagne d'*astroturfing*. On peut :

— demander à sa base (via un forum plus ou moins confidentiel) de partager en masse un message ou un mot-clic sur Twitter ;
— avoir recours à des *bots* (contraction de *robot* en anglais), des logiciels qui génèrent artificiellement une activité en ligne ;
— faire appel à des « fermes à clics » (voir *Ferme à clics*) afin d'obtenir des retweets à moindre coût : des travailleurs du numérique, des tâcherons du clic sont embauchés pour effectuer des actions comme inscrire une bonne note sur Google Maps, cliquer sur « J'aime » sous des publications dans Facebook, ou encore suivre des abonnés sur Instagram et Pinterest. On peut s'acheter de la popularité en ligne pour une vingtaine de dollars ;
— utiliser des faux comptes. Par exemple, aux États-Unis, la Commission fédérale des communications (FCC, Federal Communications Commission) a prétendu que 22 millions d'internautes avaient participé à une consultation publique sur la neutralité du Net qu'ils avaient organisée. Or, une étude réalisée sur des millions de commentaires en octobre 2017 par la société Gravwell, spécialisée dans l'analyse de données, a révélé que seulement 17,4 % de ces commentaires émanaient de vrais usagers.

ATTENTION (économie de l')

Si l'économie désigne traditionnellement la gestion et l'échange des ressources en condition de rareté, le terme « économie de l'attention » désigne une économie dans laquelle l'attention est une denrée rare.

Dans le contexte d'infobésité (voir référence) dans lequel nous vivons aujourd'hui, la rareté ne se situe plus au niveau de l'accès à l'information, mais au niveau de notre capacité individuelle de traiter cette surinformation.

L'attention devient une ressource de plus en plus rare, pour laquelle les entreprises sont prêtes à se battre. Par conséquent, l'attention est aussi une devise, c'est-à-dire qu'on peut la monnayer, par exemple en acceptant d'offrir 30 secondes de notre attention pour visionner une publicité YouTube, en échange de l'accès gratuit à la plateforme.

Cette économie de l'attention se polarise autour de deux logiques antinomiques : une logique de confiscation et une logique de protection.

La première, celle des médias, de la publicité et du marketing, consiste à rémunérer les individus pour leur « attention publicitaire ». La publicité Web repose sur l'idée que la captation de l'attention des consommateurs est un préalable à la réalisation d'une transaction. Les médias ont toujours vendu une partie de l'attention générée par leur consommation aux annonceurs. Un dirigeant du groupe médiatique français TF1 a dit un jour à ses employés que la mission de la chaîne était de « vendre du temps de cerveau disponible » à des annonceurs comme Coca-Cola. Mais la publicité en ligne va plus loin. Elle cherche à optimiser le peu d'attention que vous lui avez consacrée en vous « reciblant ». Si, par mégarde, vous avez cliqué sur une publicité en ligne, il y a de grandes chances que cette dernière réapparaisse spontanément sous vos yeux les jours qui suivent.

Des outils ont donc été développés pour protéger les utilisateurs contre ceux qui veulent accaparer leur attention pour la vendre : il peut s'agir de filtres, de bloqueurs de publicité (voir *Adblock*), de lois (la *Loi canadienne anti-pourriel*, LCAP).

AUGMENTÉE (réalité)

La réalité augmentée est une technique d'imagerie qui consiste, grâce à la superposition de couches d'images, à intégrer en temps réel des éléments virtuels dans les images captées par une caméra, généralement sur l'écran d'une tablette ou d'un téléphone cellulaire. Son application la plus célèbre à ce jour est certainement le jeu vidéo mobile *Pokémon Go*, lancé à l'été 2016, qui entraîne les utilisateurs dans une folle chasse aux créatures imaginaires. Au grand dam de nombreux citadins, dont des résidents de Saint-Lambert, dit-on. Ce jeu vous permet littéralement de trouver un Pokémon caché derrière un des arbres de votre jardin.

Le nom Pokémon est une contraction de *pocket monster*, soit « monstre de poche » en français. Ces petites bêtes, qui constituent la franchise la plus lucrative de l'histoire du divertissement, ont été créées par un Japonais adepte de jeux vidéo et souffrant du syndrome d'Asperger. Enfant, Satoshi Tajiri était fasciné par les insectes, qu'il allait ramasser par dizaines dans les forêts et les champs entourant sa maison, en banlieue de Tokyo. Plus tard, alors qu'il travaille pour Nintendo, ces mêmes insectes seront sa source d'inspiration pour *Pokémon*, lancé en 1996 après une gestation notoirement difficile (plusieurs patrons de Nintendo ne croyaient pas au potentiel du jeu). Pourtant, *Pokémon* a eu l'effet d'une bombe sur la scène internationale — et l'application *Pokémon Go* a connu le même engouement (avec 500 millions de téléchargements durant l'été 2016).

Malgré tout, la réalité augmentée demeure encore un marché de niche. En 2018, le fabricant Magic Leap, qui a créé des lunettes permettant une réelle immersion en réalité augmentée avec un équipement réduit, n'a pas impressionné la presse spécialisée. Non seulement le Magic Leap One a été jugé « trop gros » par plusieurs, mais en plus, on lui a reproché de devoir être branché à un ordinateur de la taille d'une rondelle de hockey porté à la ceinture. Selon les ingénieurs de Facebook, qui travaillent aussi sur un projet de lunettes de réalité augmentée, le poids de ces dernières ne devrait pas excéder 70 grammes si on veut espérer que la technologie ait un futur commercial digne de ce nom.

N'empêche que la technologie n'est peut-être qu'à quelques degrés de miniaturisation près d'un engouement monstre. Essayer une paire de Magic Leap One est en effet une expérience mémorable, tant elle ouvre le champ des possibles, de la recherche aux tutoriels pour monter des meubles, en passant par les jeux qui s'adaptent à chaque type de décor.

Fruit de l'imagination d'un jeune homme passionné d'entomologie, *Pokémon Go* a démontré que lorsque la technologie est assez légère, la réalité augmentée peut susciter un énorme intérêt. Peut-être que le premier grand succès des futures lunettes de réalité augmentée est sur le point de germer dans l'esprit d'un adolescent qui s'ennuie dans la cour arrière de la maison familiale…

BAIDU

Fondé en 2000 en Chine, le moteur de recherche Baidu possède non seulement les plus grosses parts de marché, mais il est aussi le site le plus consulté par les internautes de l'empire du Milieu.

Le géant d'Internet suit les consignes du ministère de la Sécurité publique chinois, ce qui veut dire qu'il ne répond qu'aux questions et requêtes qui respectent le cadre de censure établi par le gouvernement.

BALADODIFFUSION

Le terme « *podcasting* » est né en 2004 de la contraction des mots « iPod » et « *broadcasting* ». L'Office québécois de la langue française lui préfère néanmoins le terme « baladodiffusion », qui conjugue les mots « baladeur » et « radiodiffusion ».

Contrairement à ce que laisse sous-entendre son patronyme, la baladodiffusion n'est pas de la radio. C'est une forme de narration propre qui s'est affranchie des standards radiophoniques pour créer son histoire singulière.

Les émissions radiophoniques traditionnelles offertes en direct et en réécoute en baladodiffusion ne sont pas considérées comme des balados par les amateurs du genre. Elles ont le goût du balado, elles en ont le format, mais elles n'en possèdent pas l'essence, parce qu'elles n'ont pas été pensées et conçues pour le numérique, et qu'elles répondent à des contraintes propres à la radio (plage horaire, débat minuté et cadré, etc.).

Les balados offrent des formats éclatés, déterminés par la nature de leur contenu. Les épisodes de la populaire série de journalisme d'enquête *Serial*, par exemple, peuvent aller de 27 à 55 minutes, suivant le développement de l'enquête. *ZQSD*, un balado de nouvelles pour les *geeks* dure entre 2 heures et 3 heures 30. Le balado n'a pas de cadre, pas de limites et son rythme est différent de celui de la radio classique. Moins formel, le balado ressemble plus à un rendez-vous entre ami.e.s qui discutent autour d'un verre qu'à une émission de radio où des experts se partagent un micro. Il y a une prime à l'amateurisme dans le balado : vous pouvez faire un balado chez vous, dans votre cuisine.

D'une part, la création de balados a été rendue possible grâce à la démocratisation de l'accès aux outils de production sonores (qui a entraîné une baisse des coûts de production et une simplification de la distribution des œuvres) et à la généralisation de l'usage des appareils mobiles. À la fin des années 2000, l'arrivée du téléphone intelligent et du réseau 3G ont favorisé le développement du balado, jusqu'à ce qu'Apple assure sa consécration en intégrant par défaut l'application Apple Podcasts dans iOS.

D'autre part, le balado permet de perpétuer l'art ancestral de raconter des histoires… et de les écouter en marchant. Aristote avait déjà démontré les vertus de la marche pour favoriser l'apprentissage et la concentration (son École a d'ailleurs été baptisée École péripatéticienne, école de marcheurs). « Les seules pensées valables viennent en marchant », écrivait Nietzsche, alors que Rousseau affirmait que la marche « met l'esprit en mouvement ».

Le succès du balado repose sur le mariage réussi entre une technologie moderne et un art ancestral, le récit.

Souvent comparée à tort à la radio, la baladodiffusion ne vise pourtant pas le même public. Le spectre des fréquences radio (avec une bande FM qui va du 87,5 au 108) impose une limite physique au nombre de stations possible. De plus, puisque la radio permet d'atteindre les masses, elle propose du contenu généraliste.

À l'inverse, il n'existe aucune limite à la création de contenus destinés à la baladodiffusion. Les balados occupent des niches délaissées par les radios généralistes, comme l'Histoire alternative (*Revisionist History*), la science (*Hidden Brain*), la culture *geek* (*Pop Culture Happy Hour*), l'économie (*Freakonomics*), le design (*99 % Invisible*) ou encore le militantisme (*Democracy Now!*, *Pod Save America*).

Ce ne sont pas les cotes d'écoute ni les sondages numéros qui font vivre une baladodiffusion, c'est sa communauté. À cet égard, il ne faut pas chercher les racines du balado dans l'histoire de la radio, mais dans celle du Web et ses multiples expériences d'échanges communautaires et, en premier lieu, dans les BBS, les *bulletin board systems* ou babillards électroniques, les forums qui ont précédé l'avènement d'Internet (voir *BBS*).

La résurgence de l'audio, du récit et du format long fait contrepoids au règne du format court et de l'image imposés par le Web. Le balado est comparable à la lecture : on y trouve le plaisir de construire une pensée autour de la narration. Un journaliste de *Vanity Fair* a même qualifié le balado *Serial* de « Dickens de l'ère du podcast », faisant référence à sa manière de tenir l'auditeur en haleine chapitre après chapitre, pendant des heures.

WIKI, GIF & LSD

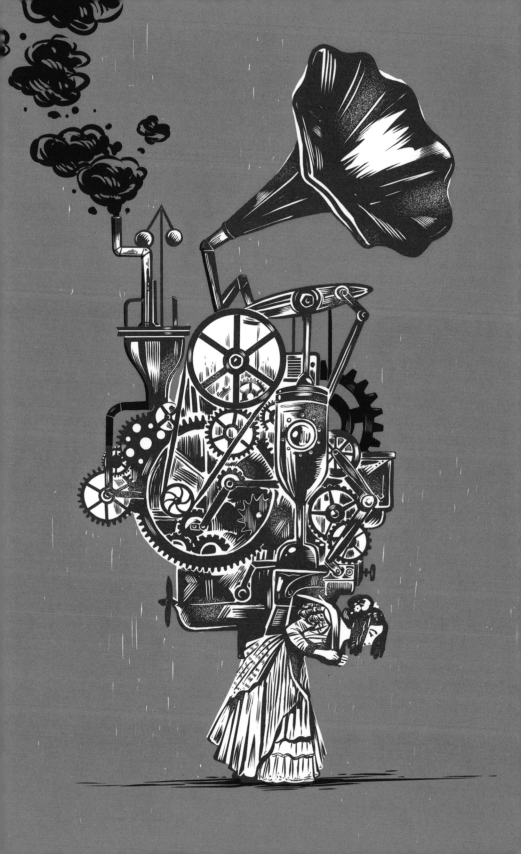

Grâce à la baladodiffusion, les hyperconnecté.e.s que nous sommes ont retrouvé le plaisir d'écouter des conférences, des feuilletons audio, des marathons d'histoire. C'est peut-être un mécanisme de défense dans un monde qui va trop vite.

BANNER BLINDNESS

Depuis 1998, les experts en affichage publicitaire Web se penchent sur le *banner blindness* ou « aveuglement aux bannières ». Il désigne un mécanisme de protection développé par les internautes : consciemment ou non, les utilisateurs ignorent les bannières publicitaires, car ils se concentrent uniquement sur l'information qu'ils recherchent (et qui se trouve généralement dans le centre de la page Web).

BATX

BATX désigne les géants du Web chinois : Baidu, Alibaba, Tencent et Xiaomi.

BBS

BBS est le sigle de *bulletin board system*, traduit en français par « babillard électronique ». Populaires dès les années 1970, ces plateformes d'échanges de textes et de fichiers existaient avant l'invention du World Wide Web en 1989. Ce sont les ancêtres des forums de discussion.

Tous les *geeks* qui se connectaient à Internet durant la première moitié des années 1990 se souviennent des babillards électroniques, dont Synapse était l'un des plus populaires.

À Montréal, un des babillards les plus importants était *Montreal Shows*, qui regroupait la communauté musicale *indie* de la ville. C'est sur cette plateforme qu'un groupe inconnu nommé Arcade Fire invitait le public un soir de 2004 à venir plier les pochettes de son premier album, *Funeral*.

Les babillards électroniques ont peu à peu disparu avec l'arrivée des réseaux sociaux comme Myspace, puis Facebook, qui ont repris et amélioré ses fonctionnalités de base. Toutefois, un site comme Reddit peut être qualifié de « méta babillard électronique », puisque son ambition est de réunir le plus de communautés d'intérêts possible dans des *subreddits*, ou sous-forums.

BIG DATA

Le *big data* désigne les données massives ou mégadonnées. En 2001, la firme de conseil Gartner propose de définir le *big data* par les trois « V » : soit des données présentant une grande variété, arrivant en volumes croissants, à grande vitesse.

La multiplication des sources de données oblige les ordinateurs à traiter d'énormes volumes représentant parfois des dizaines de téraoctets, voire de pétaoctets, et ces données sont produites à un rythme en perpétuelle accélération, notamment à cause de la multiplication des capteurs de données dans notre quotidien (montres connectées, boîtier de votre assureur dans l'auto, etc.). Enfin, les mégadonnées se caractérisent par leur diversité, car il existe de nombreux types de données. Et pour qu'elles soient utilisables, ces dernières doivent être nettoyées et structurées.

Le *big data* s'inscrit dans un contexte historique, celui de la révolution numérique, où les entreprises et les individus créent et archivent collectivement des sommes de données exponentielles. Dans les années 1960 et 1970, le développement de la base de données relationnelle a coïncidé avec la création des premiers *data centers*. Dans les années 2000, la popularisation des réseaux sociaux et autres services en ligne ainsi que le développement des adtechs et marketing techs (c'est-à-dire la digitalisation des outils de outils publicitaires et marketing) ont fait exploser le volume de données collectées. Sans oublier le développement des objets connectés au tournant des années 2010, qui va multiplier davantage le nombre d'appareils connectés à Internet. Ces derniers collectent des données liées aux habitudes d'utilisation des usagers.

Le *big data* renvoie enfin à une forme de fétichisme de la donnée, cette idée que l'on pourra un jour, grâce à des algorithmes (voir référence), résoudre tous les problèmes sociaux, environnementaux et médicaux existants. Chose certaine, la quantité massive de données dont nous disposons sur tous les sujets, des sciences sociales aux systèmes environnementaux, nous laisse espérer la possibilité de mieux comprendre le monde dans lequel nous vivons. (Voir *Donnée*)

BINGE-WATCHING

Le *binge-watching* (qu'on traduit en français par « écoute en rafale » ou « visionnage boulimique ») est une pratique culturelle consistant à regarder sans interruption plusieurs épisodes d'une même série télévisée. L'expression fait allusion au *binge-drinking*, qui signifie « biture express », ce qui sous-entend que, à l'image de l'alcool, ce visionnement compulsif provoquerait une certaine ivresse.

En 20 ans, on est passé dans le domaine des séries télé du désert culturel à l'âge d'or. Des chaînes spécialisées américaines telles que HBO et AMC ont multiplié les séries de très grande qualité avec de véritables chefs-d'œuvre comme *The Sopranos*, *The Wire*, *Mad Men*, ou encore *True Detective*. On parle désormais de « *bingability* » d'une série pour désigner son potentiel narratif à être regardée en rafale.

Le terme a été popularisé par la plateforme de visionnement Netflix (voir référence) et les nouvelles pratiques de consommation qu'elle implique. En effet, Netflix a été la première plateforme à rendre accessible une série télévisée complète le jour même de sa sortie (plutôt que d'offrir un épisode par semaine comme c'est généralement le cas).

La grande question est « à partir de combien d'épisodes vus en rafale est-on vraiment en train de « binge-watcher » ? Une étude interne de Netflix a révélé que les abonnés regardent en moyenne 2,5 épisodes à la fois. Lors du lancement de la deuxième saison de *House of Cards* (*Le Château de cartes*), 2 % des abonnés de Netflix, soit 670 000 personnes, ont visionné l'ensemble des 12 épisodes en une fin de semaine. Pour Netflix, le visionnement en rafale est devenu la « nouvelle normalité », alors que les rendez-vous télévisuels se font plus rares.

Il faut cependant noter que le *binge-watching* n'est pas né avec Netflix. Les coffrets DVD contenant une saison complète d'une série ont ouvert la voie. Les liens Torrent (voir référence), puis le *streaming* ont aussi accentué cette tendance.

Le visionnement en rafale témoigne de l'ancrage profond des séries dans notre quotidien. Elles sont devenues une nouvelle obsession culturelle. Katherine Rosman, chroniqueuse au *New York Times*, explique que « binge-watcher » une série à deux est le nouveau « Je t'aime ». À cet égard, « vous savez que vous êtes en couple quand votre compagnon de *binge watching* dit qu'il ne regardera pas la suite de la série sans vous… »

BIOHACKERS

Les *biohackers* veulent sortir la biologie des laboratoires et militent pour une appropriation des technologies par les particuliers. Ils souhaitent apporter des modifications corporelles aux individus pour leur simplifier la vie, par exemple, implanter dans la main d'une personne une micropuce qui lui permettra d'ouvrir la porte de sa maison automatiquement

Parmi les figures de proue de ce mouvement, on peut mentionner l'Américain Amal Graafstra, qui est capable d'allumer son ordinateur grâce à une micropuce sous-cutanée insérée dans sa main. Depuis un sous-sol de Seattle, il vend des puces RFID (voir référence) partout dans le monde. (Voir aussi *Cyborg*)

BITSTRIPS

Parfois, le succès d'une entreprise technologique est le fruit du hasard. C'est le cas de Bitstrips, une petite entreprise torontoise fondée en 2007 dans l'objectif d'offrir aux internautes la possibilité de produire facilement des bandes dessinées en ligne.

L'entreprise proposait à l'utilisateur de se créer un avatar (personnage virtuel choisi par un internaute pour le représenter) personnalisé — le bitmoji — et tentait de monétiser ses services en tant qu'outil d'apprentissage en ligne. Lorsque les bitmojis ont pris d'assaut les réseaux sociaux, Bitstrips a connu un succès inattendu : tout le monde voulait avoir son avatar. L'application a pris rapidement la tête des classements de l'Apple Store dans 75 pays.

En mars 2016, Snapchat a acheté la start-up canadienne et intégré les fonctionnalités de Bitstrips à ses applications.

BLOCKCHAIN

Vous ne savez pas ce qu'est la *blockchain* et cela vous donne l'impression de ne pas avoir de prise sur le monde ? Pire : vous angoissez dès qu'on mentionne ce mot, dont vous sentez confusément qu'il renvoie à d'importantes avancées technologiques tout en demeurant une abstraction aussi difficile à cerner que la transsubstantiation biblique ? Vous avez raison.

La *blockchain*, ou « chaîne de blocs », aurait été inventée par un homme connu sous le pseudonyme de Satoshi Nakamoto. Cet inventeur — ou ce groupe d'inventeurs, on ne le sait pas — aurait décidé de programmer cette technologie à la suite de la crise financière de 2008, une crise provoquée en partie par des intervenants de la chaîne de confiance de produits financiers, qui auraient menti sur la valeur des produits qu'ils écoulaient. Une fois la supercherie éventée, le château de cartes s'est effondré, avec les conséquences que l'on sait.

C'est là qu'entre en scène la notion de « confiance distribuée ». Le pari de Nakamoto ? Puisque l'humain cherchera toujours à profiter des failles des nombreuses chaînes de confiance qui constituent l'essentiel des relations interpersonnelles et économiques de la société, il faut formaliser ces chaînes, les traduire en code.

Le World Wide Web inventé par Tim Berners-Lee n'a, au mieux, que modifié la nature des intermédiaires de la chaîne de confiance. Une banque en ligne demeure une banque, avec une voûte numérique qui demeure une voûte numérique. Avec la *blockchain*, Nakamoto veut rendre les échanges numériques en ligne impossibles à falsifier, parce qu'il s'agit d'un système créé dans le but de garantir cette confiance. La confiance fait partie intégrante de la structure du système.

Le bitcoin ou BTC, qui a fait les manchettes en 2016, est une cryptomonnaie, étymologiquement une monnaie créée à partir d'un code cryptographique (c'est-à-dire la *blockchain*) et on trouve des centaines d'autres monnaies élaborées sur le même principe.

La clé ? Le *distributed ledger*, ou « registre partagé ». Ce concept mathématique est l'équivalent d'un grand livre ouvert de transactions simultanément enregistrées et synchronisées sur un réseau d'ordinateurs, qui évolue par l'addition de blocs rajoutés à la queue leu leu. Pour qu'une transaction entre deux acteurs soit approuvée, il faut qu'elle soit répliquée et ajoutée à l'ensemble des ordinateurs du réseau qui possèdent chacun une copie de toutes les transactions réalisées en temps réel. Pour qu'une transaction soit approuvée, il faut que tous les ordinateurs la valident en même temps, ce qui réduit les risques de fraudes.

La *blockchain* permet aussi la réalisation de contrats dits « intelligents », qui ne sont en fait qu'une manière d'automatiser des relations d'affaires en gardant des traces numérisées infalsifiables de ces dernières pour l'éternité (du moins tant qu'il y aura de l'électricité).

La *blockchain* serait-elle l'équivalent mathématique de thèses anarchistes, voire libertariennes ? Certains le pensent. D'autres, comme l'association Blockchain France, y voient plutôt une formalisation mathématique de ce que l'on trouve partout dans la nature. Dans un ouvrage paru récemment sous le titre *La Blockchain décryptée – Les clefs d'une révolution*, Blockchain France souligne qu'« il existe dans la nature des exemples impressionnants de ce que l'on appelle l'intelligence collective. Les termites, par exemple, qui travaillent ensemble à l'établissement de leurs immenses monticules, ou les oiseaux migrateurs, qui fonctionnent en parfaite coordination sur des distances phénoménales sans que nulle part un être ou un groupe d'individus n'émette d'ordre à ce sujet. »

La *blockchain* serait-elle inscrite dans nos gènes ?

BLOGUE

Peu de choses présentes sur le Web durant les années 1990 existent encore aujourd'hui. Le blogue en fait partie. Cette forme de journal intime public a émergé avec le développement d'outils qui permettent à des utilisateurs ayant un minimum de connaissances techniques de publier du contenu sur Internet. Des plateformes comme Blogger, Tumblr ou WordPress (voir référence) ont contribué à la démocratisation de cette forme d'expression.

Les blogues ont une histoire relativement courte comparée à celle d'Internet. Le premier blogue, Links.net, apparaît en 1994. Il est développé par un certain Justin Hall, alors étudiant au Swarthmore College. Links.net n'est pas encore à proprement parler un blogue, mais une page d'accueil personnelle. Ce n'est qu'en 1997 que le terme weblog est inventé par Jorn Barger, du blog *Robot Wisdom* ; le terme vise à refléter le processus de « connexion au Web » lors de la navigation. *Weblog* deviendra progressivement blog. C'est à cette période que plusieurs plateformes de *blogging* grand public voient le jour comme LiveJournal puis Blogger.

Avec le temps, les frontières entre les blogues et les autres publications en ligne se sont un peu estompées. Ainsi, plusieurs grands médias et sites Web ont intégré des sections réservées aux blogues dans leurs pages. On est très loin du fan de *Star Wars* qui diffuse ses connaissances sur les sabres laser, ou de la jeune adolescente qui fait part de ses états d'âme.

BOGUE DE L'AN 2000

Catastrophe informatique annoncée, mais jamais advenue, qui a fait couler beaucoup d'encre sous la forme de scénarios catastrophiques et a coûté beaucoup d'argent en prévision des problèmes anticipés.

À cause d'un problème de conception, on craignait un dysfonctionnement des ordinateurs du monde entier lors du passage à l'an 2000. En effet, jusque dans les années 1990, le format de la date dans la mémoire des ordinateurs et les logiciels ne comportait que deux chiffres. 1995, par exemple, s'écrivait « 95 » et donc, « 00 » ne signifiait pas « 2000 » mais « 1900 ». Les années 2000 et les suivantes n'existaient donc pas.

La peur face à la déficience réelle des systèmes informatiques a été décuplée par la charge symbolique du changement de millénaire. Les catastrophes anticipées touchaient de nombreux aspects de la vie : les vols d'avions, les comptes en banque, la distribution de l'électricité, la course des ascenseurs, la défense militaire des pays, le fonctionnement des hôpitaux, etc.

À partir de 1995, les institutions gouvernementales et les entreprises ont eu recours aux services de spécialistes informatiques pour corriger les problèmes et éviter le bogue. Le 1er janvier 2000, l'apocalypse annoncée n'a pas eu lieu.

BUG BOUNTIES

Pour assurer leur cybersécurité (pour protéger leurs réseaux, leurs ordinateurs et leurs données contre les attaques, dommages et accès non autorisés), les compagnies peuvent engager des experts à l'interne ou faire appel à des firmes externes. Mais elles peuvent aussi proposer des récompenses aux *hackers* qui identifient des failles dans leurs systèmes. Ces récompenses sont nommées « *bug bounties* ».

C'est un système, une architecture invisible qui façonne nos modes de pensée

BULLE DE FILTRES

Le concept de « bulle de filtres » (*filter bubble*) décrit une technologie qui a tendance à enfermer l'usager dans un univers médiatique confortant ses présupposés et ses idées.

Aujourd'hui, plus de 40 % des Américains s'informent sur Facebook, qui leur propose en réalité une information filtrée et personnalisée par des algorithmes (voir référence). Les algorithmes qui pilotent les médias sociaux sont conçus pour prioriser les articles « engageants » : ceux sur lesquels on aime cliquer, ceux qu'on aime partager ou auxquels on aime réagir. L'information filtrée renforce l'engagement, puisque l'on a tendance à partager les informations qui confirment ce que l'on pense déjà, celles qui confortent nos croyances, et ce, même si elles sont fausses.

Le militant d'Internet Eli Pariser a publié un ouvrage au sujet de la personnalisation du Web intitulé *The Filter Bubble: What the Internet Is Hiding from You*. Cette bulle, écrit-il, est celle que les algorithmes de Facebook, de Google et tant d'autres ont bâtie à notre insu autour de nous. C'est un système, une architecture invisible qui façonne nos modes de pensée.

Les algorithmes de tri étant opaques et privés, vous ne décidez pas de ce qui entre dans votre bulle. Et, plus important, vous ne voyez pas ce qui en est rejeté.

Pour Eli Pariser, le problème majeur est que la personnalisation rétrécit nos perspectives au lieu de les élargir et qu'elle met à mal le régime de l'information préexistant. Avant la révolution numérique, l'information était gérée par des *gatekeepers* (des « gardiens » ou « portiers »). Elle était « triée » et publiée par des journalistes et des éditeurs qui en contrôlaient les flux. Ils nous ouvraient les yeux sur des choses importantes.

Aujourd'hui, ces gardiens ont été remplacés par des algorithmes, qui déterminent le type d'information qui serait le plus susceptible de nous plaire en fonction de ce que l'on aime déjà.

Le but de Facebook comme de Google est de nous offrir, dans notre fil d'actualité, un journal personnalisé. Une sorte de tabloïd très ancré idéologiquement, composé de contenus postés par des proches qui partagent nos opinions politiques et ne questionnent que rarement nos idées reçues. Pour Barack Obama, cette réalité représente même un danger pour la démocratie.

BULLE INTERNET

Nom donné à la spéculation qui a entouré les titres d'entreprises de commerce électronique et de technologies à la fin des années 1990, et qui s'est conclue par un krach boursier à l'aube de l'an 2000.

Plusieurs analystes situent les débuts de la bulle avec l'arrivée en Bourse de Netscape, la compagnie à qui l'on doit le navigateur du même nom. En un seul jour, le titre est passé de 28 à 75 $, et la capitalisation de l'entreprise a atteint 2 milliards de dollars américains en quelques heures.

L'enthousiasme des investisseurs surpasse alors largement les gains réels de compagnies comme AOL, eBay, Amazon et d'une multitude de start-up qui ne feront pas long feu. À partir de 2000, les faillites se succèdent et le cours des actions plonge. C'est l'éclatement de la bulle Internet.

BUS FACTOR

Le *bus factor* fait référence au nombre de personnes susceptibles de mettre en péril une entreprise ou un projet si celles-ci devaient être heurtées par un bus. On utilise le *bus factor* pour déterminer le nombre minimal de ressources indispensables au bon développement d'un projet. Le *bus factor* rappelle l'importance de partager l'information dans une organisation.

C'est entre autres à cause du *bus factor* que certaines entreprises évitent de faire voyager plusieurs de leurs dirigeants dans le même avion lors de déplacements. Rappelons qu'en 2009, l'entreprise française de distribution de matériel électrique CGED a perdu dix employés dans l'accident du vol Air France 447 entre Rio et Paris. L'entreprise avait offert un voyage pour souligner le bon travail des meilleurs commerciaux de la direction régionale Centre Atlantique Pyrénées.

CÂBLES HAUTE VITESSE

Internet n'est pas aussi dématérialisé qu'on l'imagine. L'information transite encore très largement par des câbles sous-marins géants, qui permettent aux données de circuler à très grande vitesse. En 2014, on comptait environ 230 câbles posés sur le fond de l'océan Atlantique. En 2017, ils étaient au nombre de 428.

Les câbles sous-marins remontent bien avant Internet. En effet, ils sont au cœur des liens radio puis électroniques transatlantiques depuis le télégraphe !

C'est en 1858 que l'homme d'affaires Cyrus West Field pose le premier câble télégraphique transatlantique. C'est une véritable révolution à l'époque : les informations peuvent désormais traverser l'Atlantique en quelques minutes !

Le 18 novembre 1929, un séisme sous-marin de magnitude 7,2 sur l'échelle de Richter secoue la côte est de l'Amérique du Nord et endommage des câbles immergés, ce qui entraîne de graves conséquences pour les communications. L'épicentre du séisme se trouve au sud de Terre-Neuve, précisément là où se rejoignent les câbles de l'Atlantique Nord.

La nature des câbles ne cesse de se perfectionner. Plusieurs entreprises, comme les sociétés de courtage en Bourse, ont intérêt à ce que les données voyagent toujours plus vite. Elles sont donc prêtes à payer des sommes considérables pour avoir accès à des câbles haute performance (voir *Courtage haute vitesse*).

CAPTAIN CRUNCH

Au beau milieu de Kensington Gardens, au cœur de Londres, parmi les chênes centenaires, un pavillon chic du XIXe siècle abrite l'un des joyaux de la capitale britannique : les Serpentine Galleries. En ce mois de janvier gris, humide et froid de 2015, Londres ressemble à une carte postale. Le pavillon accueille l'exposition *Products for Organising*. Un jeune artiste néo-zélandais, Simon Denny, y expose ses sculptures technos en forme de serveurs transformés en cabinets de curiosités ou encore de gadgets détournés. Certaines œuvres auraient pu avoir été créées par Andy Warhol si ce dernier avait disposé à l'époque de l'écran d'accueil de

Windows 3. D'autres panneaux, rappelant eux aussi le pop art, évoquent la signalétique des kiosques que l'on trouve dans tous les festivals techno de la planète. Le tout baignant dans une atmosphère à la fois réconfortante et étrangement inquiétante.

Parmi les artefacts, de nombreux exemplaires d'un magazine culte pour tout amateur d'histoire de la technologie qui se respecte : *2600*.

Pour comprendre son statut particulier (et son titre), il faut remonter à la fin des années 1950, alors que les premiers « pirates téléphoniques » font leur apparition. Appelés *phreakers* (contraction de « *phone* » et de « *freak* »), ces originaux détournent les technologies de leur usage premier ou en exploitent les failles pour mieux les utiliser. Pour satisfaire leur folie, ils vont jusqu'à fouiller dans les poubelles des compagnies téléphoniques en espérant y trouver des plans et des indices sur le fonctionnent de ces systèmes hautement perfectionnés pour l'époque. S'ils étaient nés au Québec, on aurait pu les appeler des « patenteux ».

En 1957, Joe Engressia, jeune garçon de huit ans, aveugle et doté d'une oreille absolue, découvre qu'en sifflant la note mi (le mi de la quatrième octave d'un piano), il peut déconnecter automatiquement un appel en cours sur la ligne téléphonique familiale. La fréquence ? 2600 hertz. En poussant l'expérimentation plus loin, le petit génie se rend compte que les systèmes analogiques qui permettent de répartir les appels dans les centrales téléphoniques sont notamment aiguillés par des fréquences sonores, dont celle-ci. Un véritable sésame immatériel qui ouvre toutes grandes les portes d'un monde alors hors de prix : celui des appels interurbains.

Plus tard, un certain John Draper (qui allait par la suite devenir un des premiers vrais *hackers* informatiques) découvre dans les boîtes de céréales Cap'n Crunch un sifflet qui reproduit la même fréquence (de 2600 Hz) que celle utilisée par les compagnies téléphoniques pour les appels longue distance. Peu à peu, la technique du *phreaking* se raffine et ces proto-pirates développent des systèmes appelés « *blue boxes* », destinés à contourner les murs payants des compagnies de téléphone.

En 1971, alors que Joe Engressia est reconnu coupable de fraude par le FBI, deux jeunes Californiens tentent par tous les moyens de parler à John Draper, connu alors sous le sobriquet de Captain Crunch, pour apprendre à fabriquer des *blue boxes* et financer leurs premières tentatives de créer du matériel informatique. Ils s'appellent Steve Jobs et Steve Wozniak. Steve Jobs dira plus tard au cours d'une entrevue qu'Apple n'aurait jamais existé sans ces *blue boxes*.

En 1988, Joe Engressia a 39 ans. Abusé sexuellement dans sa jeunesse, il estime qu'on lui a volé son enfance. Il décide de changer son nom pour

Joybubbles et fonde l'Église de l'enfance éternelle, dont il sera le premier et seul ministre. Il s'entoure de jouets et de toutous, qui ne le quitteront plus jusqu'à sa mort, le 8 août 2007. C'est ainsi qu'aura vécu le premier pirate/Peter Pan de l'histoire.

La techno a aussi ses manuscrits de la mer Morte, Simon Denny les avait placés sous cloche, ce mois de janvier-là, à Londres.

CARAMAIL

Fondée en 1997, CaraMail est l'entreprise qui a fourni leur premier compte de courrier électronique à nombre de francophones à travers le monde.

Une des clés de son succès a été le service de *chat* qu'elle a offert dès ses débuts. En 1999, après deux années d'existence, le service revendiquait déjà plus d'un million d'abonnés.

Après une faste période au début des années 2000 — 28 millions d'abonnés en 2003 — le service de messagerie électronique a connu une lente décroissance et a fermé officiellement au début de 2009.

CARTOGRAPHIE EN LIGNE

En 2012, Apple lance Apple Plans, une application de cartographie mobile dont la vocation est de permettre à l'utilisateur de ne plus dépendre de Google Maps. Mais les choses ne se passent pas comme prévu : un pays sans capitale (Israël), un supermarché de Floride identifié comme un hôpital, des îles apparaissant en double… Les erreurs, incongruités et autres cocasseries se multiplient.

Comment expliquer cet échec ? Cartographier le monde de manière précise est une entreprise ambitieuse et Google s'y consacre depuis de nombreuses années, alors qu'Apple, nouveau joueur dans le domaine, a encore beaucoup à apprendre. De plus, il faut préciser le contexte. En effet, Apple se lance dans le développement de l'application Plans à la suite d'une mésentente commerciale avec Google au sujet de l'application de cartographie intégrée à iOS, qui était alors supportée par Google. C'est ce qui explique, entre autres, le produit bâclé qu'Apple a présenté à ses utilisateurs.

Pour comprendre l'intérêt financier que représentent le développement et le peaufinement des outils de cartographie en ligne, il suffit de penser à toutes les opportunités publicitaires qui en découlent. Comme — l'anecdote est réelle — la fois où l'application Google Maps de votre téléphone cellulaire a suggéré le Tim Hortons lorsque vous tentiez de trouver votre chemin vers le café de quartier.

CERN

Les croyants, qu'ils adorent Mahomet, Jésus, Yahvé ou encore Elvis, connaissent par cœur l'emplacement de leurs lieux saints. Par ici le mont des Oliviers, allô le mur des Lamentations, salut la Kaaba, ah ben Graceland. On les admire, on les visite. On les chérit. Ce sont des lieux délimités au centimètre près, et gare aux mécréants qui n'en saisissent pas le caractère sacré.

Les physiciens, même lorsqu'ils révolutionnent le monde, n'ont pas vraiment les mêmes scrupules. Du moins certains d'entre eux, comme celui qui a inventé le WWW. Et son ex-employeur aussi. Parce que jusqu'à tout récemment, le lieu de naissance du Web était impossible à trouver... sur le Web.

L'action se déroule à Genève, le 6 août 1991. Dans un local anonyme de l'Organisation européenne pour la recherche nucléaire (CERN), un chercheur britannique encore inconnu est sur le point de transformer la face du monde de manière aussi durable que Johannes Gutenberg (inventeur de l'imprimerie) l'a fait cinq siècles avant lui. Ce jour-là, en arrivant au bureau, Tim Berners-Lee et son équipe mettent en ligne le premier site Web, sur un ordinateur de marque NeXT (créé par nul autre que Steve Jobs durant ses années de purgatoire, entre deux sessions d'Apple). Tout ça en réunissant des technologies jusque-là éparses, auxquelles ils ont ajouté quelques lignes de codes de leur cru.

Tim Berners-Lee n'est pas tombé loin de l'arbre, puisqu'il est le fils de deux ingénieurs en informatique britanniques, eux-mêmes à l'origine de la création d'un ordinateur qui a marqué l'histoire, le Ferranti Mark I. Début 1989, il obtient de ses supérieurs l'autorisation de développer un programme destiné à connecter des ordinateurs entre eux. Ce programme va permettre, à terme, de donner son envol au réseau Internet, qui jusqu'alors s'étendait au monde entier, mais était handicapé par l'absence d'une *lingua franca* (un langage commun).

N'empêche, l'homme est plutôt modeste. Dans son livre *Weaving the Web: The Original Design and Ultimate Destiny of the World Wide Web by its Inventor*, où il décrit comment le WWW a été créé et le rôle qu'il a joué, Tim Berners-Lee explique qu'il n'a pas l'impression d'avoir inventé quelque chose de nouveau, puisqu'il a simplement relié ensemble des technologies qui existaient déjà, et ce, par frustration. En effet, à ses yeux, le temps perdu pour aller chercher des informations dans les ordinateurs de ses collègues lors des réunions constituait une véritable aberration. Les ordinateurs devaient donc avoir un langage commun afin de pouvoir archiver et partager de l'information.

À l'époque, le protocole de transfert d'information TCP/IP (*Internet Protocol*) avait déjà été inventé par les ingénieurs américains Vint Cerf et Bob Kahn, le système d'adresses (DNS, *Domain Name System*) par Paul Mockapetris, et le système d'hypertexte (des textes reliés entre eux par des hyperliens) existait déjà lui aussi. Comme Berners-Lee le racontera souvent, le WWW, ce n'est pas grand-chose : « Je suis parti d'une question toute simple : est-ce que l'on peut convertir chaque système contenant de l'information pour qu'il soit organisé de la même manière que tous les autres systèmes ? J'ai pris l'hyperlien, je l'ai connecté au TCP et au DNS et voilà, le WWW est né ! » Encore fallait-il y penser. Et avoir mis un peu d'ordre là-dedans. D'où le fameux HTTP que l'on voit maintenant au début de chaque adresse : l'*hypertext transfert protocol*, qui permet à un serveur qui contient de l'information de la partager avec un client (souvent un navigateur). Cette nouvelle technique de partage d'information a permis au Web de devenir une application arrimée sur Internet, si efficace qu'on confond les deux.

L'histoire de la technologie et de l'architecture retiendra qu'une révolution d'une magnitude comme il n'en arrive que quelques fois par millénaire a été pensée dans les locaux tristounets d'un centre de recherche qui ne figurera jamais dans le magazine *Monocle*.

Les locaux où le Web a été inventé n'ont jamais fait rêver : bonjour le sacré ! Deux lieux tellement anonymes que leur emplacement exact n'a pu être établi que très récemment grâce à un architecte devenu investisseur en capital de risque qui en pinçait pour l'endroit : David Galbraith. Sur son blogue, il explique comment, au terme d'une quête qui a pris plusieurs années, il a réussi à identifier, d'une part, le local où l'idée du WWW a germé, et d'autre part les locaux où Tim Berners-Lee a développé la chose avec ses collègues.

On sait que le CERN se situe à cheval sur la frontière franco-suisse. Tim Berners-Lee est cependant formel : même si l'entrée du CERN se situe du côté suisse, les premières ébauches du WWW ont été imaginées dans un petit local situé du côté français (dans l'édifice 31, le local 2-010), ainsi que dans la maison qu'il louait à l'époque, située elle aussi en France. Par contre, le développement de l'idée et sa programmation ont eu lieu dans un local attenant et un peu plus grand, le local 2-012. Et Tim Berners-Lee a souvent fait le trajet d'une dizaine de minutes à pied en zone helvétique, vers le bureau du cocréateur du WWW : l'ingénieur et informaticien belge Robert Cailliau. Le Web, cette entité aux frontières indéfinissable, est donc né dans un territoire aux frontières plus que floues.

Au milieu du XVᵉ siècle, dans le sud de l'Allemagne, c'est un autre amoureux de la codification, Johannes Gutenberg, qui avait réussi à raffiner des techniques d'imprimerie existantes en donnant naissance à ce que l'on connaît aujourd'hui comme l'imprimerie moderne. Quelques années plus tard, l'essor de cette technique, qui a rendu le livre abordable, participera entre autres à la remise en question de la domination de la puissante Église catholique. Rien de moins. Sans Gutenberg, Martin Luther, l'initiateur de la Réforme protestante, aurait-il eu le même impact ? On peut en douter.

Le peu d'empressement des autorités du CERN à marquer d'une pierre blanche le lieu de création de l'invention n'est pas nouveau. Selon les dires de Robert Cailliau, il aurait fallu, dès 1989, déployer des trésors d'inventivité pour obtenir un mini-budget (l'équivalent d'environ 125 000 $ canadiens actuels) pour une microéquipe (cinq personnes) pendant six mois. Quant au CERN, il lui aurait fallu beaucoup de temps pour se rendre compte de la magnitude de l'idée qui avait germé au sein de son propre personnel.

D'ailleurs, en 2012, lorsque David Galbraith s'est rendu au CERN pour la première fois après avoir recueilli les informations de Tim Berners-Lee, c'est lui qui a appris à un jeune programmeur qui travaillait dans le local où s'était déroulée la mise en ligne du premier site Web la nature du lieu dans lequel il passait ses journées. On peut lire sur le blogue de Galbraith que le jeune Polonais était « très heureux de l'apprendre ».

En 2014, quatre ans après le début de la quête de David Galbraith, la fondation autrichienne Ars Electronica (qui travaillait déjà sur d'autres projets avec le CERN) a finalement posé une plaque à côté du fameux local 2-010. On peut y lire : « *Ars Electronica Award: For Cultural Innovation in the Digital Age Awarded to Tim Berners-Lee and* CERN *for the Invention of the World Wide Web* ».

Quant à l'ordinateur NeXT sur lequel Cailliau et Berners-Lee ont codé le premier serveur et le premier site Web, il est toujours exposé au musée du CERN. Sur son clavier est posé le premier papier de la proposition du WWW telle que rédigée par les deux hommes. Sur la première page, un titre : « *Information Management: A Proposal* ». En haut de la page, une petite note manuscrite de trois mots de Mike Sendall, le patron des deux scientifiques : « *vague but exciting* ».

Au bas du papier, une autre, plus courte encore : « *And now ?* »

CHATBOT

Chatbot est la combinaison des termes anglais « *chat* » (bavarder) et « *bot* » (robot). Le *chatbot* — on parle aussi de « dialogueur » ou d'« agent conversationnel » — est un logiciel qui converse avec un utilisateur par l'entremise de Messenger ou d'une fenêtre de *chat* qui s'ouvre sur le site d'une entreprise, par exemple.

Plusieurs grands médias et plusieurs entreprises proposent désormais cette interface personne-machine pour répondre à certaines questions ou pour mettre en valeur certains contenus. Il existe même des applications d'aide psychologique grâce auxquelles des agents conversationnels entrent en contact avec des patients.

ELIZA (voir référence) a été un des premiers *chatbot*.

CHATROULETTE

Certains l'ont perçu comme une absurdité ou une cocasserie du Web, d'autres comme l'illustration de ce qui ne tournait pas rond au royaume du WWW.

Créé en novembre 2009 par Andrey Ternovskiy, un Russe de 17 ans, le site de *chat* vidéo s'est retrouvé au centre de toutes les discussions dès son apparition : quelques mois après sa création, en février 2010, il comptait 800 000 visiteurs uniques par jour.

Chatroulette permet à des inconnus de se connecter entre eux par webcams interposées et de manière aléatoire. Une fois connectée, la personne choisit donc, soit d'entamer la conversation, soit d'appuyer sur le bouton « *next* » pour être connectée immédiatement à un autre interlocuteur. Il n'était pas nécessaire de s'enregistrer ou de se trouver un nom pour participer.

Si une Américaine du Michigan a bien épousé le Britannique qu'elle avait rencontré sur le site, la plupart des utilisateurs n'ont aucun souvenir concret des discussions qu'ils ont pu y échanger. Par contre, la plupart de ceux et celles qui ont fréquenté le site plusieurs minutes consécutives se souviennent très bien d'y avoir aperçu au moins un pénis ! En août 2010, le site est indisponible pendant plusieurs jours, afin de mettre au point une version 2.0, qui promet moins de contenu salace. Des médias sérieux comme le *New York Mag* font même le test, mais comme le craignaient plusieurs parents, les images à caractère sexuel sont toujours présentes. Déjà, deux mois plus tôt, le magazine *Salon* écrivait la nécrologie du site : « Cause du décès : les pénis ».

CHINE

Plus du tiers de la population chinoise dispose d'un accès à Internet, ce qui représente un total de plus de 730 millions d'internautes. La très grande majorité d'entre eux (95 %) se connectent à Internet via un téléphone mobile.

Des dizaines de lois et règlements encadrent le fonctionnement d'Internet en Chine et censurent l'accès aux sites étrangers. Plusieurs entreprises chinoises comme Baidu ou Alibaba bénéficient de l'absence de leurs rivaux, principalement américains.

CLÉ USB

Avant d'avoir des clés USB, les utilisateurs enregistraient et transportaient leurs fichiers informatiques sur des supports de stockage de données amovibles appelés disquettes ou disques souples (*floppy disks*) en raison de leur souplesse par opposition au disque dur (et fixe).

Dans les années 2000 est apparu un nouveau support, beaucoup plus résistant que les premiers : la clé USB. Ce petit dispositif de stockage que nous connaissons tous se branche sur le port *universal serial bus* d'un ordinateur, mais aussi d'autres appareils électroniques. Il contient une mémoire flash (voir référence), qui permet de copier très rapidement n'importe quels fichiers informatiques.

CLICKBAIT (piège à clics)

« OMG ! », « Vous ne devinerez jamais ! », « Ce que vous découvrirez va vous surprendre ! » sont des genres de titres que vous avez sans doute déjà croisés sur le Net. Pour piquer la curiosité du lecteur, tous les coups sont permis : points d'exclamation abusifs, exagérations, voire mensonges… L'objectif du piège à clics, à la fois méprisé et terriblement efficace, est d'attirer coûte que coûte l'internaute vers un contenu ou une page, afin d'en retirer des profits publicitaires. Le titre que vous ne lirez jamais : « Wow, vous serez vraiment satisfait d'avoir consacré deux minutes à ce contenu Web ! »

Les détracteurs du piège à clics sont de plus en plus nombreux, et plusieurs initiatives ont vu le jour pour lutter contre cette pratique controversée. Tandis que Facebook a diminué la portée des publications qui utilisent ce genre de procédé, apparait le compte Stop Clickbait, qui révèle directement toute l'information que nous cachent les titres accrocheurs de pièges à clics, rendant du même coup le stratagème inutile et privant les producteurs de tels contenus de revenus publicitaires.

COOKIE

Un *cookie* ou « témoin de connexion », est un outil permettant aux sites que vous avez visités de garder en mémoire votre adresse courriel, par exemple, ou ce que contient votre panier d'achat, même si vous n'êtes pas connecté.

Le *cookie* prend la forme d'un fichier texte enregistré sur l'ordinateur de l'internaute, qui répertorie toutes les actions de celui-ci sur le Net. Pendant longtemps, les navigateurs acceptaient les *cookies* par défaut. Depuis 2014, plusieurs sites affichent clairement qu'ils utilisent des témoins de connexion, et l'utilisateur est libre de les accepter ou non. Cependant, dans le dernier cas, les interventions de l'utilisateur sur le site seront limitées.

COURRIEL

Néologisme québécois inventé pour désigner les messages électroniques ou *e-mails*, le mot-valise courriel est issu des mots « courrier » et « électronique ». Il est la preuve vivante que des néologismes en français peuvent parfaitement passer dans le langage courant.

La technologie permettant d'envoyer des messages électroniques est bien antérieure à l'avènement du Web. Les bases de cette technologie étaient déjà posées dans les années 1960, notamment avec le système ARPANET (voir référence).

COURTAGE HAUTE FRÉQUENCE

S'il existe un secteur d'activité où les algorithmes sont devenus omnipotents aujourd'hui, c'est bien le monde de la finance. Depuis le milieu des années 2000, on assiste sur les places boursières au développement de ce qu'on appelle le courtage à haute vitesse (*high frequency bidding*).

Le journaliste suisse François Pilet a mené une enquête sur le sujet et il en a tiré un livre avec son collègue Frédéric Lelièvre, publié sous le titre : *Krach machine. Comment les traders à haute fréquence menacent de faire sauter la Bourse*. Il y explique que des algorithmes financiers (voir *Algorithmes*) conçus par une poignée de fonds spéculatifs et de grandes banques internationales achètent et vendent des titres et des matières premières dans des temps records. Ces algorithmes réagissent en moins de 40 microsecondes (ils sont 6000 fois plus rapide qu'un clignement d'œil) afin de détecter les plus infimes variations du marché susceptibles de générer des profits rapidement.

Ces algorithmes appartiennent à de grandes institutions financières, ce qui conduit à une « course à l'armement technologique » pour construire les algorithmes les plus performants et être le plus rapide. Si vous êtes un algorithme de Wall Street et que vous avez cinq microsecondes de retard, vous êtes fini. Alors à Wall Street, on a commencé à déménager des infrastructures physiques et des bâtiments pour se rapprocher du 60 Hudson Street. Pourquoi ? Parce que c'est dans cet immense

Platon parlait
de cybernétique
— « l'art du
gouvernail » —
lorsqu'il discutait
du pilotage des
navires

bâtiment et centre de communication que le réseau Internet entre dans l'île de Manhattan.

En 2015, un câble sous-marin transatlantique de 4600 kilomètres reliant Londres et les États-Unis (New York et Chicago) est installé. Développé par l'entreprise Hibernia, le câble permet un transfert de données cinq millisecondes de fois plus rapide que ses concurrents, ce qui veut dire qu'une information voyage entre New York et Londres en 59,5 millisecondes.

Les entreprises qui veulent utiliser cette connexion doivent débourser des centaines de milliers de dollars mensuellement. Celles qui ont le plus à y gagner sont les firmes THF (*trading* à haute fréquence), qui gèrent l'exécution de transactions financières via des algorithmes informatiques.

CRUNCH TIME

Le *crunch time* désigne la période décisive pendant laquelle le projet (qu'il s'agisse d'un site Internet, d'un jeu vidéo, d'une application) est en phase finale de développement. Tous les membres de l'équipe sont alors sous pression et doivent fournir beaucoup d'efforts au détriment de leur vie de famille, de leur santé et de leur hygiène corporelle. Certaines industries, comme celle du jeu vidéo, recourent constamment aux *crunch times* pour réduire les délais de développement.

CURATION (de contenu)

La curation de contenu est un néologisme qui désigne la pratique consistant à sélectionner, modifier et partager les contenus les plus pertinents dans l'immensité du Web (voir *Infobésité*), afin de proposer une vision nouvelle et éclairante sur un sujet donné.

Le terme est issu du latin *curare* (prendre soin de). Par extension, les Anglo-Saxons utilisent le terme *curator* pour désigner le commissaire qui sélectionne les œuvres d'une exposition (dans un musée par exemple). La curation artistique consiste à organiser des contenus selon un point de vue préétabli, afin de produire une expression artistique.

L'abondance est désormais l'une des caractéristiques principales de notre culture, et elle nous place face à un sentiment double : d'un côté, nous avons toujours l'impression de rater quelque chose (voir *FOMO*), et en même temps, nous avons l'impression d'être noyés sous le contenu et de ne pas être en mesure de le consommer. L'offre est à ce point illimitée qu'elle en est vertigineuse. Paradoxalement, nous ne nous sentons pas mieux informés. Nous avons donc besoin collectivement de « professionnels du tri » qui séparent le bon grain (le contenu pertinent) de l'ivraie (le bruit). D'où cette nouvelle idée selon laquelle la création de valeur n'appartient pas forcément à ceux et celles qui créent le contenu.

Comme le *curator* du musée, le « curateur du Web » sélectionne et hiérarchise des articles, des images, des vidéos et des sons, pour en extraire du sens. On pourrait aussi parler d'éditorialisation, puisque cette forme de sélection de l'information apporte un point de vue. Plus cyniquement, le curateur témoigne d'une ère de l'information où on publie d'abord le contenu avant de le filtrer.

Des sites de médias Internet comme BuzzFeed ont bâti leur modèle d'affaires sur la curation de contenu. Les journalistes qui travaillaient pour l'ancien groupe de médias et de blogues Gawker étaient eux aussi appelés des *curators* ; ils étaient à la fois créateurs d'articles originaux et curateurs de contenus.

CYBER-BLURRING

En matière de piratage informatique, stratégie de défense qui consiste à brouiller les pistes en cas de fuite de documents plutôt qu'à prévenir les attaques.

Quelques heures avant les élections présidentielles françaises de 2017, 9 gigaoctets de documents électroniques ont été dérobés à l'équipe d'Emmanuel Macron. Cette affaire a eu des rebondissements dans l'actualité québécoise, puisque l'un des instigateurs de cette fuite, un suprémaciste blanc américain du nom de Jack Posobiec, a affirmé qu'un des traducteurs de ces documents n'était nul autre que le polémiste libertarien Éric Duhaime (ce que ce dernier a nié).

Cette fuite de documents n'est pas sans rappeler la diffusion par WikiLeaks, en juillet 2016, de courriels du Parti démocrate américain — ce qui avait fortement nui à la campagne d'Hillary Clinton.

Les communautés de partisans en ligne du style de r/The_Donald (sur Reddit) s'étaient servi de ces documents pour vilipender l'équipe Clinton. Jack Posobiec avait d'ailleurs largement participé à cette cabale.

Selon l'entourage d'Emmanuel Macron, ces données avaient été obtenues grâce au piratage des comptes de messagerie électronique personnels et professionnels de plusieurs responsables du parti politique En marche. Depuis le début de la campagne électorale, l'équipe d'Emmanuel Macron faisait l'objet d'attaques répétées. Ils en avaient même été prévenus par les services de renseignements américains.

Ces attaques utilisaient notamment la technique du hameçonnage (avec, par exemple, de faux messages de réinitialisation de boite courriel) pour inciter les membres de l'équipe à donner leur mot de passe.

L'équipe de campagne savait qu'un jour ou l'autre, quelqu'un allait tomber dans le piège. Il a donc été décidé d'opter pour la stratégie du *cyber-blurring* ou « brouillage des pistes » : de faux comptes ont été créés, remplis de faux documents et de noms célèbres susceptibles d'attirer l'attention (personnalités politiques, comptes en banque, États, etc.) dans le but de faire perdre du temps aux pirates.

Et le résultat ne s'est pas fait attendre : le site canadien d'extrême droite *The Rebel*, la communauté Reddit pro Trump *The Donald* et Red Pill, communauté de misogynes paranos sont tombés dans le panneau. Parmi les documents incriminants que ces communautés se sont félicitées d'avoir déniché, le fameux Macron_201705\gemplus\Arabie Saoudite\, sensé contenir des transactions financières datant de 2003. Le document avait été créé de toutes pièces par un certain Takieddine, du nom du trafiquant d'armes impliqué dans le scandale du financement de la campagne de Nicolas Sarkozy.

En 2003, Emmanuel Macron avait tout juste 24 ans, et il n'était pas encore au gouvernement...

À l'heure actuelle, des complotistes du Web décortiquent probablement encore ces documents dans l'espoir d'y trouver un scandale retentissant...

CYBERCENSURE

La cybercensure est flagrante dans certains pays qui bloquent totalement ou partiellement l'accès aux sites étrangers à leur population, à l'instar de la Chine, de la Corée du Nord, ou, dans une moindre mesure, de la

Russie et de l'Arabie saoudite. Mais elle peut aussi intervenir sous la forme de coupures fréquentes de l'accès Internet, comme au Cameroun ou en Inde, ou d'un accès limité à certains sites, comme Wikipédia, comme c'est le cas en Turquie.

De manière plus complexe, la censure peut aussi intervenir sous la forme de cyberattaques contre des sites de médias indépendants, ou encore de dénonciations massives à l'endroit de comptes appartenant à des journalistes dans le but de limiter leur accès aux réseaux sociaux.

Se pose alors la question de la complicité des géants du Web : ces derniers doivent-ils se soumettre sans poser de questions aux lois dictées par ces pays ou doivent-ils leur résister ?

CYBERINTIMIDATION

La cyberintimidation est une intimidation pratiquée à l'aide des technologies de l'information et de la communication : sites Web, réseaux sociaux, messagerie texte, courriels, etc.

Les composantes de la cyberintimidation sont les mêmes que celles de l'intimidation : actes délibérés, répétés, domination.

Les formes aussi sont identiques : injures, insultes, menaces, médisance, fausses rumeurs, etc.

Les objectifs sont également dévastateurs : causer du tort, blesser, opprimer, ostraciser, engendrer de la détresse, obtenir un gain (des renseignements personnels, par exemple).

Les technologies de l'information et de la communication sont par nature des outils redoutables, puisqu'elles rassemblent, comme le souligne l'Office québécois de la langue française, l'« ensemble des technologies issues de la convergence de l'informatique et des techniques évoluées du multimédia et des télécommunications, qui ont permis l'émergence de moyens de communication plus efficaces, en améliorant le traitement, la mise en mémoire, la diffusion et l'échange de l'information ». Il suffit de penser à la diffusion d'une photo ou d'une vidéo gênante, voire à caractère sexuel (sextage) à l'aide de ces technologies : mise en ligne rapidement, diffusée largement, impossible à effacer de toutes les mémoires informatiques où elle a été inscrite. La cyberintimidation peut atteindre une personne où qu'elle soit dès qu'elle ouvre son téléphone cellulaire ou se branche sur les réseaux sociaux.

Certaines formes de cyberintimidation peuvent conduire à des poursuites civiles ou criminelles. En voici quelques-unes à titre d'exemples.

Poursuites civiles

Diffamation ou libelle diffamatoire : Atteinte à la réputation. L'article 4 de la *Charte québécoise des droits et libertés de la personne* stipule que « Toute personne a droit à la sauvegarde de sa dignité, de son honneur et de sa réputation. »

Poursuites criminelles

Harcèlement criminel : Notamment quand une victime craint raisonnablement pour sa sécurité à cause des faits et gestes de la personne qui la harcèle (entre autres choses).

Publication non consensuelle d'une photo intime et autres actions apparentées : Geste posé sciemment et qui consiste à publier, à distribuer, à transmettre, à vendre ou à rendre accessible une image intime d'une personne, ou d'en faire la publicité, sachant que cette personne n'y a pas consenti ou sans se soucier de savoir si elle y a consenti ou non. La production ou la distribution de photos intimes de personnes mineures peut conduire à des accusations de production ou de distribution de pornographie juvénile.

CYBERNÉTIQUE

En 1948, quelques années après la fin de la Seconde Guerre mondiale, le mathématicien Norbert Wiener (voir *Wiener, Norbert*) a publié un ouvrage qui allait jeter les bases d'une nouvelle science : *Cybernetics: Or Control and Communication in the Animal and the Machine*.

La cybernétique, parce qu'elle se situe au point de rencontre de plusieurs sciences — les mathématiques, l'électronique, etc. — peut être difficile à saisir. Il faut peut-être remonter à la Grèce antique pour mieux comprendre l'objet de son étude : la communication et les systèmes de rétroaction. Platon parlait de cybernétique — « l'art du gouvernail » — lorsqu'il discutait du pilotage des navires. Norbert Wiener, quant à lui, se référait plutôt à la science des systèmes autorégulés (systèmes qui fonctionnent de manière autonome, comme un thermostat et un radiateur électrique qui, grâce à un système de rétroaction, travaillent ensemble pour maintenir dans une pièce une température donnée).

Si le *buzz* entourant la notion de cybernétique s'est rapidement dissipé après la mort de Wiener, en 1964, plusieurs disciplines ont pris racine dans les théories cybernétiques. C'est notamment le cas de l'école de Palo Alto et de l'intelligence artificielle.

CYBORG

Cyborg, de l'anglais *cybernetic organism*, pourrait se traduire par « organisme cybernétique ».

Dans le domaine de la science-fiction, un cyborg désigne un être humain auquel ont été greffés des éléments de mécanique ou de robotique afin de l'améliorer. RoboCop, Terminator, L'Homme bicentenaire sont des cyborgs.

Mais c'est aussi un titre que revendiquent de plus en plus de *biohackers* (voir référence), entre autres l'artiste Neil Harbisson qui, atteint d'une maladie l'empêchant de voir les couleurs, a eu l'idée de se faire implanter un œil cybernétique qui lui permet de transposer les couleurs en fréquences sonores (Eyeborg). Son cas a fait école, notamment parce qu'il a obtenu — non sans peine — le droit de garder le dispositif ressemblant à une antenne sur sa photo de passeport, ce qui a été vu par plusieurs comme un signe de reconnaissance. En 2010, Neil Harbisson a créé une fondation pour aider les gens qui le souhaitent à devenir des cyborgs, faire la promotion de l'art cyborg, et défendre les droits des cyborgs.

CYPHERPUNK

Mot-valise issu des mots anglais « *cipher* » (chiffrement) et « *punk* », qui évoque le terme « *cyberpunk* ». Il désigne un groupe informel de gens pour qui la vie privée est importante, et qui se servent de la cryptographie pour s'assurer de la respecter.

Si Philip Zimmermann, inventeur du logiciel PGP (voir référence) est une des figures connues de ce mouvement, on doit ce néologisme à la hackeuse Jude Milhon.

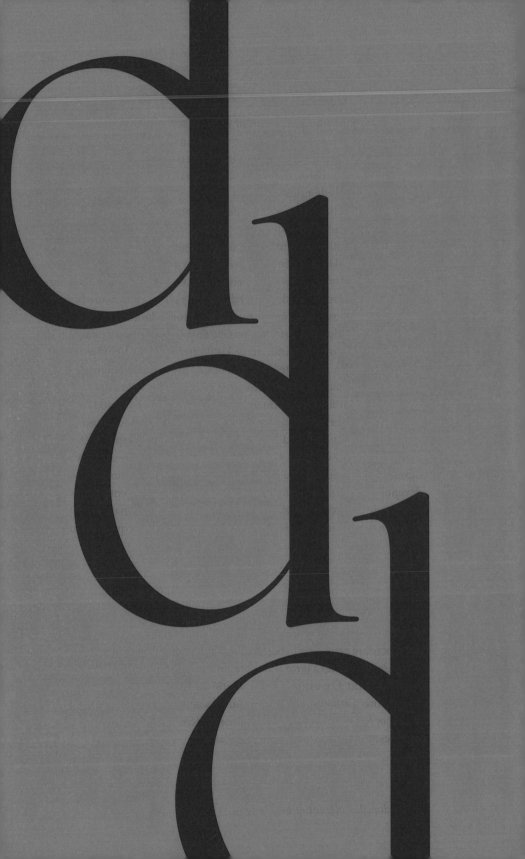

DARK WEB (Internet clandestin)

Le Web est un iceberg. C'est pour cette raison qu'il est impossible de connaître sa taille exacte. On estime cependant que le commun des mortels aurait seulement accès à une minime partie de l'ensemble des informations qui y circulent, de 4 à 10 % . Cette partie « classique » du Web (*clearnet*) à laquelle nous accédons tous les jours est dite « indexée », c'est-à-dire qu'elle est répertoriée par les moteurs de recherche. C'est la surface de l'océan numérique.

N'empêche : nous naviguons aussi en sous-marin dans le « *deep Web* » (le Web profond) sans même le savoir. Votre compte en banque en ligne, c'est le Web profond, et vous êtes très heureux qu'il n'apparaisse pas dans les résultats des moteurs de recherche. Même chose pour votre boîte de courriels. Elle aussi est domiciliée dans les profondeurs du Web.

Tout au fond du *deep Web*, on trouve le *darknet*, un réseau de pages et de protocoles de transfert d'utilisateur à utilisateur qui contient tout ce qui, à tort ou à raison, nécessite l'anonymat. Ces pages notoirement difficiles d'accès du *darknet* sont appelées *dark Web*. Des dissidents politiques y échangent des informations, mais on y trouve aussi de nombreux marchés d'échange de pornographie infantile, de vente d'armes, de données, de drogues. Le plus connu d'entre eux, Silk Road, a été fermé définitivement par le FBI en 2014. On trouve aussi, dit-on, sur le *dark Web* des offres d'emploi de tueurs à gage. Ironiquement, cette portion du Web est devenue accessible au plus grand nombre grâce à une invention des laboratoires de la Navy : le navigateur TOR, téléchargeable en un clic à partir de votre navigateur préféré. On n'a plus les catacombes qu'on avait…

DDOS

Le 21 octobre 2016, une cyberattaque d'une ampleur inégalée touche les États-Unis et « met à terre » des sites majeurs comme Twitter, Songza ou encore Reddit. On estime que la moitié du Web américain est paralysé.

Ce genre d'attaque est bien connu : il s'agit d'une DDoS (*Distributed Denial of Service attack*), une attaque par déni de service distribué. Ces attaques sont relativement simples à faire et peu coûteuses, d'ailleurs, et

elles se multiplient d'année en année : l'an dernier, elles ont connu une augmentation de 150 %.

Voici leur *modus operandi*. Une attaque par déni de service consiste à rendre inaccessible un site (ou un service Internet, une base de données) en saturant le serveur où il est hébergé par un envoi massif de requêtes. Un peu comme si un petit bureau de poste recevait tout d'un coup un milliard de colis.

Son fonctionnement en détails :

1 — Le cybercriminel prend le contrôle de nombreux ordinateurs (ou de parties d'ordinateurs) à travers le monde grâce à un script (*malware*) téléchargé involontairement par leur propriétaire.

2 — Grâce à ce script, ce réseau d'ordinateurs (dont la taille peut être considérable) devient un *botnet*, un réseau de « machines zombies ».

3 — Le cybercriminel peut alors lancer son attaque : toutes ces machines zombies attaquent leur cible simultanément.

Que font-elles au juste quand elles attaquent ? Elles demandent l'accès à des informations très lourdes. La cible (le serveur attaqué) répond et cherche à envoyer les données demandées, mais les machines zombies sont programmées pour ignorer la réponse et renvoient indéfiniment la même requête. Très vite, le serveur visé sature et s'effondre sous le poids de la tâche.

En échange de deux minutes de son temps, presque tout le monde peut accepter de faire une attaque DDoS. D'autant plus si, pour ce faire, on lui propose 20 $. Nul besoin d'être un génie ni d'aller sur le *dark Web* (voir référence). Il suffit de taper « IP booter » ou « IP stresser » dans Google pour accéder à des sites malveillants qui ont pignon sur rue comme XyZ Booter. Il existe aussi des dizaines de tutoriels sur YouTube.

L'attaque de novembre 2016 était cependant différente des autres du genre, tant par son ampleur que par son type de cible. En effet, l'attaque a touché la côte est des États-Unis, puis s'est étendue à presque tout le pays. Par ailleurs, les *hackers* n'ont pas visé le site d'une entreprise en particulier, mais DYN, un prestataire technique qui fournit des services DNS (voir référence) c'est-à-dire des services de gestion de noms de domaines. DYN est utilisé par des compagnies comme CNN, PayPal, Twitter, Spotify, Airbnb, Reddit. En attaquant DYN, les *hackers* ont bloqué les sites Internet de toutes ces entreprises. Coup de circuit !

DYN a affirmé que l'attaque provenait de l'IdO, l'Internet des objets — en anglais *Internet of Things, IoT* (voir référence) — qui désigne les appareils domestiques connectés au réseau (les imprimantes, les caméras, les thermostats, etc.). Au début de l'année 2016, ces objets connectés avaient été infectés par un *malware* lancé sur le Web et, la même année, l'hébergeur OVH avait subi une attaque massive qui provenait d'un *botnet* (réseau de programmes informatiques) de 145 000 caméras connectées. Pourquoi viser les objets connectés ? Parce que ces appareils sont très peu sécurisés, et donc des cibles faciles.

À ce jour, on ne sait toujours pas qui a lancé cette attaque sur DYN, mais les hypothèses sont nombreuses. Des dizaines de codes sources de *botnets* sont accessibles en ligne. En septembre 2016, un cybercriminel a publié sous le pseudonyme Anna-Senpai le code source de son *botnet* Mirai, responsable de l'attaque contre OVH. Dès lors, n'importe qui pouvait utiliser ce code.

DÉPENDANCE

Depuis 2018, la dépendance aux jeux vidéo est reconnue comme une maladie par l'Organisation mondiale de la santé (OMS). Celle-ci définit le problème comme « une priorité accrue accordée au jeu par rapport à d'autres activités » et « la poursuite ou l'escalade du jeu en dépit de la survenance de conséquences négatives ».

DISRUPTION

Quand on parle du Web et du numérique, un mot revient souvent : révolution. Le numérique a révolutionné notre façon de travailler, de consommer, de faire des rencontres, de nous divertir, etc.

Cette révolution numérique affecte des pans entiers de notre économie et de notre culture : la musique, la presse, la radio, le cinéma, la télévision, mais aussi les transports, l'hôtellerie, etc.

Les anglophones ont un mot pour traduire cette révolution. Ils emploient le terme « *disruption* », qu'on peut traduire de façon littérale par « dérèglement », en référence au dérèglement des anciennes procédures. Le terme comprend aussi la notion de création, dans le sens de création de nouvelles opportunités. Avec la *disruption*, on n'est pas très loin du concept de « destruction créatrice » de Joseph Schumpeter.

Au début des années 1940, l'économiste autrichien utilisait déjà cette réalité paradoxale pour décrire, selon lui, le principe essentiel du capitalisme : la technologie et les innovations suppriment les emplois obsolètes pour en créer des nouveaux en plus grande quantité, à plus forte valeur ajoutée.

DIVULGATION RESPONSABLE

En matière de sécurité informatique, la divulgation responsable désigne la pratique consistant à laisser à une compagnie le temps de réparer une faille avant de la dévoiler publiquement. L'objectif est de ne pas exposer une vulnérabilité avant qu'elle ait été corrigée.

DNS

Le DNS (*domain name system*), qu'on appelle aussi « système de noms de domaine » en français, est un service qui permet de traduire un nom de domaine Internet en adresse IP de forme numérique, et inversement. C'est un peu l'annuaire téléphonique du Web.

Pour comprendre à quoi sert un DNS, il faut se rappeler qu'Internet est d'abord un réseau de réseaux (*interconnected computer networks*). Chacun de ces réseaux est constitué de machines reliées entre elles, qui se parlent grâce à une adresse IP. Cette adresse est de forme numérique afin d'être plus facilement traitée par les machines. Toutefois, les chiffres sont un obstacle pour les êtres humains puisqu'ils sont plus difficiles à retenir : il est en effet plus facile pour nous de retenir google.com que 64.233.161.18. C'est pour résoudre ce problème qu'on a créé le DNS, qui traduit l'adresse IP en adresse texte.

DOGFOODING

Le *dogfooding* ou « *eating your own dog food* », littéralement « manger la nourriture de votre chien », signifie utiliser vous-même les technologies ou les services que vous avez produits, afin de résoudre les éventuels problèmes ou failles.

L'expression est attribuée à Paul Maritz, un ancien dirigeant de Microsoft qui, à la fin des années 1980, se désolait que ses produits soient boudés par le public. Dans un courriel envoyé à son collègue Brian Valentine, et dont le titre était « *Eating our own Dogfood* », il écrivait qu'il fallait généraliser l'utilisation des logiciels de la compagnie à l'interne.

Exemple d'utilisation : « Ils auraient dû passer plus de temps à manger la nourriture de leur chien, leur application est truffée d'erreurs. »

DONNÉE

Voici la définition qu'en donne Mélanie Millette, professeure au Département de communication sociale et publique de l'UQAM :

> « Une donnée est une unité d'information typiquement associée au domaine de l'informatique. Dans les dictionnaires ou les encyclopédies, on la définit souvent comme un "fait", ce qui est problématique parce qu'une donnée n'est jamais directement tirée de la réalité ; elle est toujours le produit d'un travail humain et donc d'un certain cadrage. L'historienne des médias Lisa Gitelman la considère à ce titre comme un artéfact : un objet fabriqué par l'humain, qui est une forme de médiation par rapport à une réalité que l'on souhaite documenter, mesurer, etc. Les données ne sont donc jamais des faits, mais toujours une manière de voir et de comprendre des faits. Ironiquement, une donnée n'est ainsi jamais "brute", puisqu'elle est toujours récoltée par un dispositif technologique, construite (après tout, elle est le fruit d'une programmation), puis triée et organisée. »

Consciemment ou non, nous générons des données chaque fois que nous utilisons des médias sociaux. Par exemple, lorsque nous consultons

Facebook à partir d'un téléphone cellulaire, nous générons différentes données, colligées par divers systèmes. Déjà, l'appareil téléphonique enregistre l'ouverture de l'application Facebook. Le temps de la consultation sera aussi noté, ainsi que d'autres paramètres. Ensuite, dans l'application comme telle, d'autres données seront générées par les actions posées. Le temps passé sur une image ou un texte, les contenus consultés, toutes les actions posées, qu'elles laissent des traces visibles (comme les mentions « J'aime ») ou invisibles (consulter le profil d'une personne), génèrent des données dans l'application. Le réseau sans fil à partir duquel nous nous connectons relève lui aussi des données, tout comme les navigateurs de nos ordinateurs et de nos outils mobiles (les requêtes, les durées de consultation, les pages ou les bannières cliquées).

Des quantités invraisemblables de données sont générées lorsqu'on utilise des outils de communication numériques. On estime à 2,5 quintillions le nombre de nouvelles données qui sont créées chaque jour.

DRONE

Au sens premier, un drone est un petit avion télécommandé et qui n'a aucun équipage à bord. Le terme a gagné en popularité depuis le début des années 2000 grâce à la commercialisation et à la démocratisation de produits grand public équipés de caméras, et grâce au développement des courses de drones.

DRONE (domaine militaire)

Un drone, dans sa définition militaire, est une caméra volante de haute résolution équipée de missiles.

On doit cette définition laconique au philosophe français Grégoire Chamayou, dans son livre *Théorie du drone*, qui se veut une analyse philosophique du programme de drones américain. La mission de ce dernier est une forme de surveillance létale. Les drones surveillent un territoire, ils amassent des données qui sont analysées par des spécialistes, et identifient des archétypes de comportement hostiles. À partir de ces informations, les responsables militaires donnent l'ordre ou non de tirer sur des individus au comportement suspect. La décision de tuer est déterminée par des probabilités…

Toutefois, les drones de l'armée américaine capturent tellement d'images que les analystes sont incapables de les décortiquer toutes. Ils font donc appel à l'intelligence artificielle afin de mieux les analyser et de sélectionner les cibles humaines. En avril 2018, des milliers d'employés de Google ont signé une pétition pour protester contre l'implication de Google dans le projet Maven, un programme militaire du Pentagone qui utilise l'intelligence artificielle, dont celle de Google, pour améliorer le ciblage des frappes de drones.

L'exemple de Google illustre le fait que le drone n'est pas une simple avancée technologique. C'est, nous dit Grégoire Chamayou, un objet qui nous oblige à repenser la manière de faire la guerre et qui pose des problèmes politiques, légaux et philosophiques. Le drone, écrit-il, provoque une crise d'intelligibilité. Il fait éclater des concepts, des catégories que l'on croyait figés.

D'ailleurs, le drone est un vecteur de crise dans les valeurs militaires traditionnelles, puisqu'il a d'abord été contesté, non pas par les pacifistes, mais par des pilotes de l'U.S. Air Force, l'élite de l'armée américaine. Il remet entre autres en question la notion de lieu dans la guerre : où se déroule l'action de tuer quand le pilote du drone qui tue un individu en Somalie se trouve dans une base militaire aux États-Unis ?

Le drone induit aussi une distanciation et une invisibilisation de la violence. L'opérateur qui, confortablement installé dans un bunker du Nevada, à l'air conditionné, regarde un écran, puis appuie sur un bouton pour tuer une cible au Pakistan à partir d'archétypes de comportements, n'est pas dans le même rapport à la mort que s'il se trouvait sur une zone de guerre et pris à la gorge par l'odeur du sang. Il y a une distance, une invisibilité, une impunité.

Grégoire Chamayou explique que le drone confère une immunité physique unilatérale, la mise à distance de la guerre, et qu'il déresponsabilise l'acte de tuer. Les opérateurs tuent des gens durant la journée et rentrent à la maison le soir. La guerre devient un télétravail, accompli par des employés de bureau. Nous sommes devant un dispositif de fabrique de l'irresponsabilité selon les mots de Grégoire Chamayou.

La prochaine avancée technologique, déjà amorcée avec le projet Maven, est celle de la robotique létale autonome. Il s'agit d'un système de déresponsabilisation totale, où l'opérateur humain sera complètement absent et remplacé par des machines, qui prendront elles-mêmes la décision de tuer un individu, à partir de données, d'apprentissages profonds, et sur la base de choix décidés par des algorithmes.

WIKI, GIF & LSD

Selon Grégoire Chamayou, les défenseurs de ces systèmes affirment que les machines pourraient être plus humaines que des humains eux-mêmes. Le discours post-humaniste prépare la venue de cette robotique létale autonome, sans sujet.

En 1944, le philosophe allemand Theodor W. Adorno, qui est alors réfugié aux États-Unis, découvre le programme des missiles V2 allemands (des bombes volantes sans pilote). Il en tira cette réflexion : « Il en coûte, pour ainsi dire, toute l'énergie du sujet pour qu'il n'y ait plus de sujet. »

DSL

Les DSL (*digital subscriber lines*) sont les LAN, les lignes d'accès numérique. Il s'agit des lignes téléphoniques filaires de cuivre permettant d'accéder à Internet.

Même si plusieurs chercheurs s'y sont essayés, c'est l'Américain Joseph Lechleider qui a finalement réussi, dans les années 1980, à trouver un moyen de maximiser la vitesse de connexion. Il est l'un des pères de l'Internet à haut débit.

EBAY

Le célèbre site d'enchères américain, créé en 1995, est l'une des premières mégaplateformes du Web. La compagnie ne produit aucun bien, mais génère du profit en s'octroyant un pourcentage du montant des biens vendus et achetés par les utilisateurs sur sa plateforme. Au fil des années, eBay s'est diversifiée en offrant notamment la possibilité de faire des enchères.

Dès 2001, afin de remédier aux nombreux différends qui l'opposaient aux utilisateurs mécontents, qui se plaignaient tantôt d'un vendeur qui mettait trop de temps pour envoyer un article, tantôt de la description inexacte d'un article, eBay a mis en place un système d'évaluation par les pairs. Ce concept innovateur a par la suite été adopté par plusieurs autres géants du Net, comme Amazon, Airbnb et Uber.

En 2002, eBay a rendu Elon Musk très riche, en lui rachetant PayPal (voir référence).

Même si le site n'a plus son lustre d'antan — c'est Amazon, et non eBay, qui figure dans l'acronyme GAFA (voir référence) qui désigne les géants du Web —, chaque année, toujours plus de marchandises y sont échangées.

Quelques anecdotes…

Le tout premier article affiché sur le site, qui s'appelait alors AuctionWeb, était un pointeur laser brisé. Affiché à 1 $, l'article a finalement été vendu 14,83 $. L'acheteur était un collectionneur de pointeurs laser défectueux.

Avant de lancer son premier album, le chanteur James Blunt était accro à eBay. Il y vendait tout et n'importe quoi. Il a même proposé une enchère où sa sœur, Emily, devait trouver d'urgence un moyen de locomotion pour se rendre à des funérailles en Irlande. Guy Harrison, propriétaire d'un hélicoptère, a remporté l'enchère et transporté ladite sœur. Il l'a aussi épousée quelques années plus tard.

ÉCOLE

L'histoire a défrayé la chronique en octobre 2011. Dans un article du *New York Times*, les cadres de la Silicon Valley affirmaient envoyer leurs enfants dans des écoles où il n'y avait ni écrans, ni ordinateurs, ni tablettes. Cette anecdote illustre à elle seule le débat sur la place du numérique dans l'éducation, et la ligne de fracture existant entre la « masse » et l'« élite » quant à la place réservée aux écrans dans la vie quotidienne des enfants.

L'écran est un objet technique et, en tant que tel, porteur d'idéologie et d'utopie, *a fortiori* dans le contexte scolaire. Idéologique, de par le discours politique qui vise à encourager certains comportements et qui soumet, par exemple, cette idée selon laquelle les tablettes permettraient de mieux apprendre. Utopique, parce qu'il annonce que le numérique, notamment sous la forme de la tablette, va résoudre tous les problèmes de l'école (le décrochage scolaire, les inégalités d'apprentissage). L'iPad est à cet égard vendu dans les publicités comme le summum de l'appareillage éducatif.

Cette anecdote révélait au grand jour toute l'hypocrisie des élites du numérique : les techno-évangélistes, ceux-là mêmes qui véhiculent cette idéologie pour leur propre bénéfice, la renient quand il s'agit de l'utiliser pour leurs enfants. Que nous cache-t-on ?

Dans l'article du *New York Times*, on découvre que des cadres d'eBay, de Yahoo, de Google, d'Apple et de Hewlett-Packard envoient leurs enfants dans des écoles Waldorf, une pédagogie alternative fondée sur les conceptions éducatives de Rudolf Steiner, philosophe et occultiste autrichien, qui ne laisse que très peu de place à la technologie. Cette dernière y est perçue comme une menace pour la créativité et la concentration.

Dans cette école, lotie au milieu des manoirs de millionnaires sur les hauteurs de Mountain View et Cupertino (où se trouve le siège social d'Apple), les élèves jouissent de conditions d'apprentissage exceptionnelles, qui se traduisent par des résultats scolaires au-dessus de la moyenne.

Doit-on attribuer ces résultats à l'apprentissage sans écran ou à l'environnement social et familial ? Difficile à dire, mais quand on met ses enfants dans une école où les frais de scolarité dépassent la somme de 20 000 $ américains, il est évident que l'éducation est en soi une priorité.

Mais surtout, ce n'est pas parce que les enfants de la Silicon Valley fréquentent des écoles alternatives qu'ils n'ont aucun contact avec des écrans. Bien au contraire. Ces élèves sont baignés dans une culture numérique permanente à la maison. Ils ont accès aux derniers gadgets, ils vivent dans une maison « intelligente » et ils reçoivent, en parallèle, des cours de code particuliers.

Tout cela démontre aussi qu'en matière de numérique et d'éducation, on mélange souvent deux propositions : éduquer au numérique et éduquer par le numérique ; apprendre la technologie et apprendre avec la technologie.

Internet
serait
le 6e pays
le plus
consommateur
d'électricité
au monde

L'éducation par le numérique a le vent en poupe auprès des organismes politiques. Par peur de manquer le train de la révolution numérique, on propose des plans de numérisation de l'école. Le concept de « classe numérique » devient l'objectif à atteindre : tous les élèves doivent avoir un écran ou une tablette pour apprendre, c'est une question d'égalité. L'idéologie et l'utopie fonctionnent à plein régime : la tablette seule va transformer l'école en école intelligente. On nage en pleine béatitude numérique.

Le concept d'école numérique repose aussi sur une évidence qui n'est jamais remise en question : utiliser les outils numériques permettrait de les maîtriser. Or, si 70 % des Canadiens possèdent un téléphone intelligent, combien le maîtrisent et en comprennent le code ? Dans le cas de l'école, on postule *a priori*, mais sans jamais en faire la démonstration *a posteriori*, une corrélation entre la numérisation des apprentissages et la connaissance des outils numériques (et les bons résultats scolaires).

Pourtant, on ne doit pas oublier que les écrans sont déjà dans les écoles… Selon une étude publiée en 2015, les jeunes Américains de 13-18 ans passent 9 heures par jour devant un écran (6 heures pour les 8-12 ans). Et 41 % de ce temps d'écran est accaparé par les appareils mobiles.

On remarque aussi (ce qui est contre-intuitif) que les enfants des milieux défavorisés sont les plus exposés, et le plus tôt, aux écrans. En effet, le manque de présence parentale est souvent comblé par le temps d'écran.

En 2015 toujours, une étude de l'OCDE sur les compétences numériques des élèves montrait que « les élèves qui utilisaient très souvent des écrans à l'école obtenaient des résultats inférieurs dans la plupart des apprentissages clés et notamment en littératie (aptitude à comprendre et à utiliser l'information écrite dans la vie courante, à la maison, au travail et dans la collectivité en vue d'atteindre des buts personnels et d'étendre ses connaissances et ses capacités) et en numératie (capacité à utiliser, à appliquer, à interpréter, à communiquer, à créer et à critiquer des informations et des idées mathématiques de la vie réelle) ».

Les deux notions sont importantes, car, dans le cadre du débat sur l'école, rien n'est plus dangereux que d'opposer littératie et numératie contre numérique. Si un enfant ne comprend pas un texte et ne sait pas compter, il y a peu de chance qu'il apprenne à coder. C'est sûrement ce qu'ont compris les cadres de la Silicon Valley : qu'il ne faut pas tant éduquer « par » le numérique, mais plutôt « au » numérique.

Éduquer au numérique ne signifie en aucun cas tourner le dos à la révolution en cours, bien au contraire. C'est plutôt prendre conscience des enjeux éducatifs qui attendent l'école, notamment en matière de formation de personnel. Éduquer au numérique, c'est intégrer la connaissance des langages du développement et de la programmation, mais aussi une culture de l'information. C'est également prendre conscience que ces apprentissages ne constitueront jamais une base solide de littératie et de numératie.

Apprendre à coder, à développer, à analyser des données massives, ou encore, à ne pas se perdre dans la masse informationnelle, implique pour l'apprenant de l'ascèse, du travail, de la discipline… pas seulement un iPad.

EDGERANK

EdgeRank est l'un des algorithmes les plus connus et les plus puissants de la planète. En effet, c'est lui qui détermine ce que 1,5 milliard d'utilisateurs du réseau social Facebook voient apparaître dans leur fil d'actualité.

Quand vous consultez Facebook, vous ne voyez que de 7 à 10 % des publications de vos « amis ». Pourquoi ? Parce que les ingénieurs de la plateforme ont déterminé que si vous en receviez davantage, vous seriez noyé dans la masse d'information et que vous perdriez votre intérêt pour l'application.

Mais attention ! Les publications que vous voyez ne sont pas choisies au hasard, elles sont le fruit d'une recette complexe qui constitue le cœur d'EdgeRank. Cette recette repose sur trois grands critères :

1 — L'affinité que vous avez avec votre ami (la force de vos liens).
2 — Le type de contenu que votre ami publie et son niveau de viralité (le nombre d'interactions qu'il suscite). Un contenu très viral peut être vu par 100 % de votre communauté, voire au-delà.
3 — La fraîcheur de ce qui vient d'être mis en ligne (plus le message est récent, plus il est susceptible d'être vu).

EdgeRank effectue une pondération entre ces trois facteurs en fonction d'une recette aussi secrète que celle de Coca-Cola.

Quand on sait que Facebook est aujourd'hui le premier vecteur de diffusion d'information auprès des citoyens du monde, cela entraîne plusieurs questionnements, notamment en ce qui concerne le contrôle de l'information. Quelles informations EdgeRank décide-t-il d'afficher dans notre fil d'actualité ? Ces informations sont-elles spécifiquement filtrées pour correspondre à nos goûts, à nos valeurs ? (Voir *Bulle de filtres*)

Facebook recueille aussi des informations sur les usagers dans le but de vendre de la publicité. Dans quelle mesure la plateforme utilise-t-elle ce qu'elle sait de nous et de notre intimité ? Dans un article récent de BuzzFeed intitulé « Facebook savait que j'étais gai avant ma famille », une personne raconte comment elle a reçu une publicité ciblée qui titrait *Coming out ? Besoin d'aide ?* au moment même où elle était sur le point de « sortir du placard ».

EFFET STREISAND
(Streisand Effect)

L'effet Streisand désigne un phénomène médiatique où la volonté d'empêcher de diffuser des informations déclenche le résultat inverse. Popularisées par le tapage médiatique entourant leur censure, ces dernières deviennent donc virales. Bref, les tentatives de censure sont contre-productives sur Internet.

Le phénomène tire son nom d'un incident survenu à la chanteuse américaine Barbra Streisand. En 2003, sa villa avait été photographiée depuis un avion par le photographe Kenneth Adelman, dans le cadre d'une enquête sur l'érosion du littoral américain. Barbra Streisand avait alors poursuivi le photographe, l'accusant d'avoir violé les lois anti-paparazzi de Californie, et elle avait demandé à ce que la photo de son domaine ne soit plus accessible en ligne. Elle avait obtenu gain de cause. Toutefois, l'affaire s'était ébruitée, suscitant la curiosité des internautes qui avaient du coup partagé massivement ladite photo.

ÉGOCASTING

L'égocasting désigne le fait de se présenter soi-même sur Internet, de se mettre en scène et en valeur, de se raconter, de façonner son image et son *branding*.

Le terme a été inventé en 2005 par l'autrice Christine Rosen pour désigner la tendance des utilisateurs des réseaux sociaux à partager avec le

reste du monde tous les petits moments plus ou moins intéressants de leur vie.

L'« égocaster » cherche de la reconnaissance et se satisfait de son rayonnement sur les réseaux sociaux (un blogue, Twitter, Facebook, des outils Web 2.0).

ÉLECTRICITÉ

« Internet n'est pas vert », entend-on souvent dire. Mais à quel point ?

En 2015, Gary Cook, de l'ONGI Greenpeace, expliquait que, si on tient compte des fermes de serveurs (voir référence) et des réseaux de connexions, « Internet serait le 6ᵉ pays le plus consommateur d'électricité au monde ».

ELIZA

ELIZA est sans doute le premier agent conversationnel ou *chatbot* (voir référence) de l'histoire.

Les dernières années ont vu apparaître toutes sortes d'agents conversationnels dans des rôles pouvant se rapprocher de la psychothérapie : on les a utilisés pour gérer des troubles anxieux, pour améliorer la qualité du sommeil. Ils étaient programmés pour appliquer certaines idées mises en avant par des thérapeutes.

Mais déjà au cours des années 1960, Joseph Weizenbaum avait imaginé un programme informatique qui simulait une psychothérapie de type rogérien : ELIZA — c'était le nom du programme —, créé entre 1964 et 1966, reformulait les affirmations d'un patient en les transformant en questions.

Des décennies plus tard, les chercheurs n'arrivent toujours pas à créer un agent conversationnel qui manie la conversation comme les êtres humains. C'est dire que la marge entre les premiers échanges d'ELIZA et la conversation humaine est immense.

ERREUR HTTP 404

La page 404 s'affiche quand un internaute essaie d'accéder à une page ou à un site Web qui n'existe pas ou qui n'existe plus. Le message « *404 File Not Found* » (signifiant « 404 fichier introuvable ») apparaît alors dans le navigateur. L'erreur 404 est un code d'erreur dans le protocole de communication HTTP, qui a donné naissance au Web.

L'erreur 404 fait partie d'une famille d'erreurs. L'erreur 401, par exemple, indique qu'une authentification est nécessaire pour accéder au contenu ; l'erreur 403 signale que l'accès est interdit, alors que l'erreur 500 désigne une erreur de serveur interne. Il existe même des propositions un peu plus farfelues, comme l'erreur 418, « *I'm a teapot* », où le serveur prétend être une théière. C'est une proposition humoristique et inutile dans le protocole HTTP qui permettrait de contrôler, de surveiller et de diagnostiquer des cafetières. Elle a été mise en place le 1er avril 1998, comme une blague de l'Internet Engineering Task Force, et elle a été conservée depuis lors.

E-SPORT (sport électronique)

Voici la définition qu'en donne Stéphanie Harvey, alias missharvey, joueuse professionnelle, cinq fois championne du monde de *Counter-Strike* :

> « L'*e-sport* étant un nouveau phénomène, il est encore très difficile d'en définir exactement toutes les facettes. En effet, ce n'est que tout récemment que nous avons commencé à utiliser ce mot pour décrire les compétitions de jeux vidéo. L'engouement soudain pour l'*e-sport* a fait grandir exponentiellement la scène, et a modifié rapidement les enjeux l'entourant. Au début des années 2000, lorsque j'ai commencé ma carrière en tant que joueuse professionnelle de jeux vidéo, le terme *e-sport* n'existait pas encore et aujourd'hui on ne s'entend pas tous sur son orthographe (*e-sport*, *eSport*, *esport*, etc.).
>
> En tenant compte de ces informations, voici, selon moi, la meilleure définition du terme *e-sport* :

Compétition de jeux vidéo joueur(s) contre joueur(s), organisée dans l'optique de divertir les participants et les spectateurs. Les événements d'*e-sport* sont caractérisés par des parties virtuelles la plupart du temps diffusées en direct sur Internet pour la communauté.

Le terme *e-sport* provient littéralement du concept d'*electronic sport*, sport électronique. On peut définir le mot sport de cette façon : Activité impliquant un effort physique et une habileté, dans laquelle un ou plusieurs individu(s) est ou sont en compétition contre un autre ou d'autres individus, dans un contexte de divertissement.

La ressemblance avec l'*e-sport* est flagrante. On pourrait pratiquement dire que l'*e-sport* est une activité virtuelle impliquant un effort mental et une habileté, dans laquelle un individu ou une équipe est en compétition contre un autre ou d'autres pour le divertissement.

Les joueurs de jeux vidéo professionnels ont des vies très semblables à celles des sportifs professionnels, avec des contrats, des entraînements, du personnel de soutien (entraîneur, *manager*, etc.), des commanditaires, des fans, etc. Il est aussi possible de se blesser dans son domaine (tendinites, problèmes de dos, etc.), il faut donc faire très attention à sa santé, comme les sportifs, pour rester au top de son jeu (alimentation, sommeil, condition physique, posture, etc.). Mon physiothérapeute aime bien dire que l'*e-sport* est un sport d'endurance statique stimulant notre fonction cognitive dans un environnement virtuel pour le divertissement de soi et des autres. Il n'a pas tort ; sans lui et ses conseils et sans mon entraînement quotidien, j'aurais beaucoup de problèmes à exercer mon métier ! »

ESTONIE

L'Estonie a développé une stratégie numérique avant tout le monde. Dès qu'elle a retrouvé son indépendance en 1991, lors de la dislocation de l'URSS, la république balte, qui a réussi à reconvertir son industrie et à mettre en place des infrastructures modernes, a misé sur le numérique.

Voter, payer ses impôts ou gérer sa consommation de médicaments : en Estonie tout se fait grâce à une carte d'identité électronique.

Les joueurs
de jeux vidéo
professionnels
ont des vies
très semblables
à celles des
sportifs

En décembre 2014, le gouvernement de la république d'Estonie lance le projet « e-résidence de l'Estonie », qui permet à des citoyens n'ayant pas la nationalité estonienne de devenir des citoyens virtuels de ce petit pays d'Europe du Nord, membre de l'Union européenne (UE), qui compte un peu plus d'un million d'âmes.

Ce projet est surtout destiné aux entrepreneurs, puisqu'il leur permet notamment d'y créer leur entreprise et de profiter de la fiscalité estonienne.

Dans les mois qui ont suivi le référendum du 23 juin 2016 portant sur la sortie du Royaume-Uni de l'Union européenne (le Brexit, *British exit from the European Union*), plusieurs entreprises britanniques ont revendiqué ce statut, afin de s'assurer de conserver le droit de recevoir des subventions de l'UE après le retrait du Royaume-Uni.

EXPEDIA

Plusieurs des sites sur lesquels vous magasinez régulièrement vos voyages en ligne appartiennent probablement au groupe Expedia. En effet, outre le site du même nom, la société américaine basée dans l'État de Washington exploite plusieurs dizaines d'agences de voyage en ligne, dont Hotels.com, Hotwire, Travelocity, Orbitz, HomeAway et Trivago, ce qui en fait un joueur très puissant dans l'industrie.

La compagnie, qui était une filiale de Microsoft lors de sa création en 1996, est par la suite devenue une entité séparée. En 2018, elle a été rachetée par la propriété de Liberty Media.

EXPÉRIENCE UTILISATEUR (UX)

Voici la définition qu'en donne Cynthia Savard Saucier, directrice du design et de l'expérience utilisateur chez Shopify et coauteure du livre *Tragic Design* :

« Avez-vous déjà eu envie de lancer votre ordinateur par la fenêtre après avoir essayé de remplir un formulaire d'assurance en ligne ? Maintenant, pensez à la facilité avec laquelle vous utilisez certaines applications sur votre téléphone intelligent. Ce qui différencie ces deux situations est la qualité de l'expérience utilisateur. Cette dernière englobe l'ensemble des expériences et des interactions d'une personne sur un site Web, une application, une interface (pensez au panneau de contrôle de votre voiture) ou avec un produit, physique ou non. L'UX est une discipline étudiée principalement par les designers d'expérience utilisateur, qui se distinguent des designers graphiques par leur approche centrée sur l'humain et leur méthodologie de recherche et de validation à l'aide de tests. »

FAKE NEWS (fausses nouvelles)

Voici la définition qu'en donne Jeff Yates, chroniqueur à Radio-Canada, spécialiste du phénomène de la désinformation sur le Web :

> « C'est une expression qui désigne… à peu près tout et n'importe quoi. Qu'il s'agisse d'une opinion avec laquelle on n'est pas d'accord (*FAKE NEWS !*), d'un reportage que l'on n'aime pas (*FAKE NEWS !*), d'une étude scientifique qui ne fait pas notre affaire (*FAKE NEWS !*), ou tout simplement d'une réalité à laquelle on ne veut pas faire face (*FAKE NEWS !*). Le terme s'adapte à toutes les sauces. Et c'est un peu ça le problème, en fait. Comme une épice que l'on mettrait un peu partout — les Français diraient que c'est comme la cannelle au Québec —, elle perd sa saveur, son identité, puis, ultimement, son utilité.
>
> Quand j'ai commencé à travailler sur les fausses nouvelles, dans le bon vieux temps (le passé lointain et idyllique de 2014), une *fake news* était, grosso modo, une fausse information présentée comme si elle était vraie, dans le but de tromper les gens. Une lubie, un mensonge, quoi : « Le pape a endossé Donald Trump à la présidence américaine en 2016 » (un article écrit par un troll macédonien, qui est devenu l'article le plus partagé de la campagne présidentielle américaine) ; « Le maire de Dorval a refusé de bannir le porc dans les cantines scolaires » (une fausse nouvelle partagée des centaines de milliers de fois depuis qu'elle a été démentie, en 2015) ; « Mars sera aussi grosse que la Lune dans le ciel » (allez, les amis, on se force un peu plus que ça) ; etc.
>
> Même si l'expression ne veut plus rien dire et, pire, sert souvent à induire en erreur, les fausses nouvelles et tout ce qui touche à la désinformation Web restent l'un des enjeux prépondérants de l'ère A.F. (après Facebook). Bien beau de vouloir stopper les changements climatiques, mettre fin aux guerres, enrayer le racisme, éliminer le sexisme et endiguer la pauvreté — mais comment fait-on, si les vraies informations sont noyées dans un océan de mensonges ? Et si, quand on tente de rétablir les faits, on nous répond chaque fois avec un gros *FAKE NEWS !* »

FERME À CLICS

Avant d'acheter un produit, de faire confiance à une marque ou même à une personnalité publique, nombreux sont les internautes qui vérifient leur popularité sur les réseaux sociaux. Les mentions « J'aime » ou autre « J'adore », les partages, les commentaires, les évaluations… : tout cela est considéré comme une mesure de leur influence. Il n'est pas surprenant, dès lors, que des entreprises illégales créent de faux comptes et manipulent leurs profils afin de faire croire à un engouement dont elles ne bénéficient pas en réalité. Comme si au jeu de la notoriété, tous les coups étaient permis.

Les fermes à clics sont des entreprises qui « vendent du clic », c'est-à-dire de l'activité en ligne. Elles peuvent aussi engendrer des profits pour les sites utilisateurs en cliquant sur des pages ou des bannières publicitaires, ou encore augmenter les coûts publicitaires d'un concurrent en gonflant sa facture publicitaire à l'aide de clics à répétition qui ne se traduiront jamais par une vente.

En d'autres mots, là où le nerf de la guerre, c'est de cliquer — sur « J'aime » ou sur une pub —, la ferme à clics est une arme rudimentaire et un peu grossière, mais qui permet quand même de leurrer des groupes.

FERME DE SERVEURS

Lorsque nous sauvegardons des données dans le nuage (le *cloud*), nos photos, nos vidéos et nos autres documents électroniques ne sont pas vraiment enregistrés dans quelque chose de tout à fait immatériel.

Pour faire fonctionner Internet et faire circuler toutes les données qui y sont disponibles, il existe ce qu'on appelle des fermes de serveurs. Ce sont d'immenses centres de données, où sont regroupés un très grand nombre d'ordinateurs — les fameux serveurs —, ce qui permet de stocker d'importantes quantités de données et d'exécuter des tâches exigeantes qui nécessitent des capacités de calcul considérables.

Ces fermes de serveurs consomment énormément d'électricité. Et la moitié de toute l'énergie exigée sert uniquement à refroidir le matériel informatique afin d'éviter qu'il ne surchauffe.

En raison de son climat et du faible coût de l'électricité, le Québec est un lieu de prédilection pour les fermes de serveurs, et plusieurs compagnies internationales ont fait le choix de s'y installer.

FILTRAGE D'INTERNET

Plusieurs techniques permettent de bloquer l'accès à certains contenus ou à certains sites Internet selon le lieu où se situe l'internaute. (Voir *Cybercensure*)

FINNEY, HAL

L'Américain Hal Finney (1956-2014) a été l'un des premiers développeurs embauchés par Philip Zimmermann pour travailler sur le logiciel de cryptage Pretty Good Privacy, PGP, (voir référence).

Figure importante du groupe informel *cypherpunk* (voir référence), il est aussi connu pour avoir été l'un des premiers utilisateurs de bitcoin, et pour avoir reçu la toute première transaction de bitcoins du mystérieux Satoshi Nakamoto (voir référence).

FLASH (Adobe Flash)

En 1996, une petite révolution bouleverse le monde du Web: le lancement du logiciel Flash permet dorénavant d'animer des éléments dans une page ou d'y ajouter de la vidéo. Inventé par la firme Macromédia (qui sera rachetée par Adobe en 2005), Flash est bourré de qualités, dont la légèreté de son format .swf et sa capacité à gérer les éléments vectoriels. Entre 1998 et 2010, la plupart des bannières publicitaires sont conçues grâce au logiciel. Sa grande polyvalence et sa facilité d'utilisation ouvrent ainsi l'âge d'or du design Web.

L'avènement du mobile et les impératifs de référencement auront raison de Flash au tournant des années 2010. Apple favorise alors le HTML5 (voir référence), arguant qu'il est plus simple d'utilisation et plus rapide sur les téléphones mobiles. Par ailleurs, le format Flash n'est pas adapté au SEO. Le format HTML5, qui n'exige ni application ni *plug-in,* est désormais privilégié par Adobe et devrait triompher de la technologie Flash, dont la mort définitive est programmée pour 2020.

FLASH (mémoire)

Mode de stockage de données qui permet une lecture très rapide de l'information, mais qui dispose d'une capacité de stockage inférieure à celle d'un disque dur traditionnel.

FOMO

FoMO est l'acronyme de l'expression *fear of missing out,* qui signifie en français « peur de rater quelque chose ». Le FoMO désigne la crainte omniprésente de passer à côté de quelque chose de plus important ou plus intéressant que ce qu'on est en train de faire. On parle également de « tyrannie de l'événement ».

Vous êtes chez vous en train de lire un livre sagement, et soudain, votre téléphone vibre. Vous avez reçu une alerte Facebook qui vous annonce que trois de vos amis assistent à un spectacle de musique juste à côté de chez vous. Ils se sont géolocalisés, ont ajouté une photo et disent que c'est un super spectacle qu'il ne faut absolument pas manquer. Vous commencez à angoisser, à douter : êtes-vous en train de manquer quelque chose ? Devriez-vous y aller ? Avez-vous pris la mauvaise décision en restant chez vous ? Voilà comment se manifeste le syndrome FoMO.

Ce problème est emblématique de l'ère numérique. Instagram, Snapchat, Twitter et Facebook vous rappellent chaque seconde que vous pourriez être en train de faire autre chose de plus palpitant.

On peut lier la peur de manquer quelque chose à deux idéaux de société : l'idéal du choix et celui de la connectivité. La peur de ne pas avoir assez pour vivre a été remplacée par l'angoisse de faire le bon choix parmi tout ce que nous offre la société de consommation. Cette obligation est

La peur
de ne pas
avoir assez
pour vivre a
été remplacée
par l'angoisse
de faire le
bon choix

accentuée par les réseaux sociaux et se traduit par de l'angoisse, un sentiment accentué par le fantasme de l'individu hyper connecté, disponible
en permanence et toujours en avance sur son temps.

FREEMIUM

En 2015, deux chercheurs français publient, dans la revue d'histoire et
d'archéologie *Mélanges de l'École française de Rome,* un article consacré à
une petite cruche trouvée dans le port d'Arles, qui constituerait l'un des
premiers exemples de ce qui deviendra par la suite un des moteurs de
l'industrie numérique : l'échantillon. Il semble que cette petite amphore
était destinée à faire goûter, sans doute gratuitement, un vin issu de la
production d'un certain Valerius Proculus, un négociant dont les vignes
se situaient loin dans l'Empire, dans les monts Albains, aux environs de
Rome. On peut aisément s'imaginer la quantité d'efforts requis à l'époque
pour transporter ces quelques millilitres de vin à des centaines de kilomètres afin de pouvoir appâter le chaland.

Deux mille ans plus tard, l'échantillon fait encore partie de la culture
commerciale, des petites bouchées offertes en dégustation dans les épi-
ceries jusqu'aux précieux flacons que nous ramenons de la parfumerie,
en ayant l'impression d'avoir fait une très bonne affaire. Sauf que, et les
statistiques le prouvent, le produit, c'est nous.

Le monde numérique n'échappe pas à cette tendance. En fait, sa structure la favorise. Dans ce contexte précis, on parle de *freemium,* un mot-valise issu des termes anglais « *free* » (gratuit) et « *premium* » (prime).
L'Office québécois de la langue française le traduit par « gratuit-payant ».
Un modèle économique en est même né, le *freemium model,* ou modèle
semi-payant. Le *freemium* a fait son apparition dans les années 1980,
lorsque certaines entreprises ont commencé à proposer aux utilisateurs
des versions bridées de logiciels. Comme le coût de distribution d'un
logiciel est de loin plus négligeable que celui d'une amphore contenant
du vin romain, le *freemium* se fraie rapidement une place de choix. À
l'heure où se déploie la technologie 5G et où il n'a jamais été aussi facile
de télécharger rapidement plusieurs zettaoctets de données, le *freemium*
est partout, ou presque.

Vous regardez souvent des vidéos sur YouTube et vous n'en pouvez
plus des publicités qui précèdent (et souvent, interrompent) votre clip ?

YouTube peut transformer votre calvaire en confortable plaisir d'écoute moyennant un abonnement. Même chose sur le service de musique Spotify, dont le nombre d'abonnés payants dépassait 80 millions à la fin de 2018, sur un total d'abonnés actifs mensuels d'environ 180 millions.

Votre enfant vous réclame votre mot de passe afin de pouvoir bénéficier, grâce à votre argent, d'une meilleure armure pour participer au jeu *a priori* gratuit sur lequel il passe pas mal de temps sur votre téléphone ? Vous vivez avec lui les grandeurs et les misères du modèle *freemium*. Dans l'un des épisodes de la série *South Park*, Stan utilise d'ailleurs le compte familial pour dépenser 26 000 $ pour un jeu dont il est devenu accro. Il ne s'agit pas que de fiction : l'actualité regorge d'histoires de parents aux prises avec des factures salées, parce que leur gameur d'enfant a eu accès aux codes permettant d'acheter du contenu supplémentaire pour ses jeux en ligne « gratuits ».

Plus fort encore : à la fin de l'année 2018, la compagnie américaine de jeux vidéo Bethesda Softworks, LLC s'est fait accuser d'avoir fait payer, pour la dernière mouture de sa populaire franchise *Fallout*, des ajouts sans lesquels il serait impossible de gagner. Tout cela, faut-il le rappeler, pour un jeu coûtant à la base la « modique » somme de 80 $. En français, *fallout* peut d'ailleurs se traduire par… « retombées ».

On pourrait aussi arguer que l'impression de gratuité qui entoure notre vie d'internaute est une conséquence d'un modèle freemium dont il n'existe malheureusement pas de version payante.

GAFA (ou GAFAM)

Acronyme qui sert à désigner les géants du Web : Google, Apple, Facebook et Amazon. De plus en plus, l'expression GAFAM — avec le M de Microsoft — lui est préférée.

GAMERGATE (controverse du)

Le Gamergate est une controverse née en août 2014, et qui a secoué le monde du jeu vidéo pendant les années qui ont suivi.

Le #Gamergate prend racine dans le harcèlement sordide subi par la développeuse de jeux vidéo Zoë Quinn, après que son ancien partenaire l'ait accusée d'avoir couché avec des journalistes spécialisés dans le jeu vidéo afin de recevoir de bonnes critiques. Le refrain est connu, il renvoie aux stéréotypes sexistes voulant que les femmes usent de leurs charmes pour réussir sur le plan professionnel.

Le #Gamergate va très vite se polariser entre deux groupes : d'un côté, une frange féministe luttant contre le harcèlement et la misogynie dans le monde des jeux vidéo et, de l'autre, les défenseurs du Gamergate, une nébuleuse de joueurs plutôt conservateurs, qui affirment que le débat ne porte pas sur la misogynie de la communauté, mais sur l'éthique des journalistes dans le monde du jeu vidéo.

Le conflit va s'étendre et prendre une tournure violente. En octobre 2014, Anita Sarkeesian, une vidéoblogueuse féministe influente, spécialisée dans la représentation des femmes dans les jeux vidéo, est obligée d'annuler une conférence prévue à l'université de l'Utah à la suite de la réception de courriels annonçant une tuerie monstrueuse si elle se présente.

En 2016, le festival de culture numérique South by Southwest (SXSW) décide d'annuler deux conférences qui devaient donner la parole aux deux franges du #Gamergate. Cette décision déclenche un tollé général. On reproche notamment aux organisateurs d'avoir cédé aux menaces, de refuser d'affronter la question du harcèlement, et de faire le jeu des harceleurs. Sous la menace de grands éditeurs américains comme BuzzFeed et Vox Media notamment, le festival se ravise et organise une journée complète consacrée au harcèlement.

GARAGE

Le garage fait partie des lieux saints de la religion numérique. En effet, c'est là que les pères fondateurs de la Silicon Valley auraient trouvé la lumière. Hewlett-Packard Enterprise, Apple, Dell, puis Google, Amazon, YouTube et enfin Oculus VR, seraient nés dans un garage. Certains garages sont même classés monuments historiques aujourd'hui et donnent d'ailleurs lieu à des pèlerinages.

Le message véhiculé par le mythe du garage est une parabole, c'est-à-dire une maxime qui contient un enseignement, et qui révèle qu'« un individu isolé peut réussir (envers et contre tout) grâce à son talent et à sa puissance de travail ». C'est un prolongement du rêve américain.

Aujourd'hui, les garages ont été remplacés par des incubateurs (des espèces de couveuses) et des accélérateurs de start-ups. Des lieux où les start-ups peuvent grandir, trouver des ressources, des investisseurs, et aussi s'émuler l'une l'autre pour essayer de retrouver l'esprit du garage.

GIF

Une banane qui danse, un bébé qui fait le cha-cha-cha : le format GIF, pour *graphics interchange format* (littéralement « format d'échange d'images »), est associé dans l'imaginaire collectif à quelques images fortes de l'esthétique Web.

Cette technologie qui permet d'enregistrer plusieurs images dans un même format a été créée en 1987, trois ans avant le début du World Wide Web. Son secret ? Un format qui permet de stocker plusieurs images dans un seul fichier.

Le format GIF appartient dorénavant au domaine public, il est ainsi possible de l'utiliser librement.

Les valeurs
de Google
reposent
sur deux
promesses
fondamentales.
« Don't be evil »
en est une.

GIRLBOSS

L'histoire qui entoure le #Girlboss, ce mot-clic utilisé plus de 11 millions de fois sur Instagram, en est une de succès et de désenchantements comme le Web les affectionne particulièrement.

Malgré son jeune âge, Sophia Amoruso a connu une vie pleine de rebondissements. Née en 1984 dans une famille de classe moyenne californienne, elle n'a pas exactement le profil pour réussir un parcours scolaire traditionnel. Très jeune, elle s'installe à San Francisco, où elle travaille comme surveillante pour l'Academy of Art University, ce qui lui laisse beaucoup de temps pour flâner sur le Net. Elle affectionne particulièrement des sites comme Myspace et eBay, et les vêtements *vintage*.

Après avoir connu un premier petit succès avec une page eBay, où elle vendait des articles usagés en ligne, elle décide de créer Nasty Gal, un site Web qui propose des vêtements neufs. Avant d'atteindre l'âge de 30 ans, elle figure déjà sur les listes des jeunes entrepreneurs à succès publiées dans des magazines comme *Forbes* et *Fortune*. En 2014, elle publie une autobiographie sous le titre de *#GIRLBOSS*. Forte de ses succès, elle donne des conférences lors desquelles elle encourage les femmes à se lancer en affaires.

Au printemps 2017, la série *Girlboss*, inspirée de son livre et de sa vie, est diffusée sur Netflix. Après seulement 13 épisodes, on annonce qu'il n'y aura pas de deuxième saison. Et au mois d'août de la même année, Nasty Gal déclare faillite et est rachetée par le groupe de vente au détail de mode en ligne Boohoo Group pour 20 millions de dollars américains.

Malgré tout, Sophia Amoruso continue de donner des conférences et, en décembre 2017, elle crée une nouvelle compagnie nommée Girlboss Media, dont la mission est de « redéfinir le succès pour les femmes milléniales en leur offrant des outils et des relations ».

GOOGLE

En 1996, Larry Page et Sergey Brin sont étudiants à la prestigieuse université Stanford en Californie. Larry Page planche sur une technologie qui permettrait de créer une bibliothèque numérique universelle.

C'est de cette réflexion que naît BackRub, un moteur de recherche nouveau genre qui parcourt des pages Web en naviguant de l'une à l'autre grâce aux hyperliens qui les relient. BackRub stocke ensuite ces données dans un index, en constante évolution. Cette année-là, BackRub consomme déjà la moitié de la bande passante de l'université Stanford.

BackRub, qui prend le nom de Google en 1998, dépasse très vite ses concurrents AltaVista et Yahoo sur le plan technologique. Pourquoi ? Parce que le moteur de recherche propose aux internautes une bien meilleure façon de leur délivrer l'information qu'ils cherchent.

Larry Page et Sergey Brin ont mis au point un algorithme permettant de mesurer l'importance relative des pages Web. Ils le baptisent PageRank (PR) en l'honneur de son cofondateur, Larry Page. (Voir *PageRank*)

Les deux universitaires appliquent à la recherche Web le système d'évaluation des articles scientifiques. Alors que les moteurs de recherche populaires de l'époque se basent sur le nombre de fois où le terme recherché apparaît dans les pages Web, les fondateurs de Google introduisent la notion de pertinence : plus les liens qui pointent vers une page proviennent de site reconnus, plus cette page est pertinente.

Les valeurs de Google reposent sur deux promesses fondamentales : premièrement, « être le relais de toute l'information du monde », c'est-à-dire ratisser l'ensemble du Web pour l'indexer, et deuxièmement, « *don't be evil* », que l'on peut traduire par « ne fais pas le mal ».

Aujourd'hui, Google est devenu Alphabet, et rassemble sous cette appellation des dizaines des compagnies différentes touchant des domaines aussi variés que la publicité en ligne, l'intelligence artificielle, les objets connectés, ou encore les autos autonomes. Une des seules sources de profit de l'entreprise est le format de recherche (*search ads* dans le jargon, voir *AdWords*), un format publicitaire révolutionnaire que l'entreprise a inventé en 2000, et qui permet d'offrir de la publicité ciblée en fonction du profil de l'internaute et des mots qu'il recherche en ligne.

GOOGLISER

Googliser signifie rechercher des informations sur quelque chose ou sur quelqu'un sur Internet, à l'aide du célèbre moteur de recherche Google.
Exemple d'utilisation : Ce recruteur googlise un candidat.
Variante : googler.
– *Le Robert illustré 2018*

HACKATHON

Mot-valise composé des mots « hack » et « marathon », un hackathon est un événement au cours duquel, sur une très courte période de temps (24 ou 48 heures), des développeurs et des programmeurs se réunissent pour imaginer une solution à un problème donné.

On reproche de plus en plus aux institutions qui organisent ce type d'événement de « profiter » de la matière grise des programmeurs, en échange de café et de pizza.

HOTMAIL

En 1996, deux investisseurs américains, Sabeer Bhatia et Jack Smith, profitent de la fête nationale pour lancer leur service de courrier électronique gratuit, dont le nom, HoTMaiL, est inspiré du sigle HTML.

Dès l'année suivante, Microsoft achète Hotmail pour plus de 400 millions de dollars américains, en argent comptant s'il vous plaît.

En 2012, le service est rebaptisé Outlook. En 2018, Microsoft recense environ 400 millions d'utilisateurs de son service de messagerie, contre 1,5 milliard pour Gmail, son principal concurrent.

HTML

HTML (HyperText Markup Language) est un format de données conçu pour afficher des pages Web, né au CERN (voir référence), au début des années 1990, sous l'impulsion de l'informaticien britannique Tim Berners-Lee.

HUMAIN AUGMENTÉ

Si j'étais coach de vie, je conseillerais à mes clients de voir un transhumaniste comme un vendeur de balayeuses qui ne fonctionnent pas. Pour le moment, les promesses du transhumanisme demeurent… des promesses. Dans la liste des nombreuses compagnies fondées par Elon Musk figure la jeune pousse (voir référence) Neuralink, une entreprise relativement obscure, spécialisée dans la nanotechnobiologie, et qui se donne pour mission de développer du matériel électronique pouvant servir d'interface entre le cerveau humain et les ordinateurs. Juste ça. Le but ? « Augmenter » l'être humain grâce à des puces intracrâniennes qui pourraient, entre autres, stimuler sa mémoire. Ou encore créer des interfaces entre l'être humain et l'intelligence artificielle. La compagnie compte un certain nombre de chercheurs réputés, mais on pouvait encore récemment lire dans la section « Soumettez votre candidature » qu'aucune expérience reliée aux neurosciences n'était nécessaire pour travailler dans l'équipe de recherche. Cette situation est critiquée par de nombreux chercheurs, qui soulignent le manque de crédibilité de plusieurs compagnies œuvrant dans le domaine des technologies liées au transhumanisme.

Quand un dirigeant d'entreprise, tel un Jésus du XXIᵉ siècle, vous promet la vie éternelle, c'est du transhumanisme. Et ce n'est pas possible. Quand un chercheur laisse entendre que vous pourrez un jour télécharger votre cerveau sur un ordinateur même si absolument personne ne comprend parfaitement le phénomène de la mémoire, c'est un transhumaniste. Et il vous vend du vent.

Si les élucubrations génético-millénaristes de Raël peuvent à juste titre être qualifiées de clownesques, il ne faudrait pas oublier que plusieurs personnes, qui pèchent moins par leur style vestimentaire, tiennent des discours à peine plus sérieux.

Mais comment définir le transhumanisme ? Il s'agit d'un mouvement techno-utopiste qui a pris son envol dans les années 1980 autour de l'idée qu'il nous faut dépasser notre nature humaine et créer un « posthumain » qui aurait des capacités supérieures aux nôtres. Les défenseurs de cette philosophie partent du principe que nous avons non seulement les outils mais aussi le devoir d'augmenter nos facultés physiques et mentales par tous les moyens possibles : qu'ils soient chimiques, génétiques ou numériques, notamment grâce à l'intelligence artificielle. Pourquoi ? En résumé : parce que c'est possible de le faire.

Généralement, les transhumanistes passent sous silence le fait qu'il s'agit essentiellement d'un projet capitaliste destiné uniquement à ceux et celles qui pourront se payer ces éventuelles augmentations, si tant est qu'un jour elles se réalisent.

Le journaliste irlandais Mark O'Connell a publié en 2016 les résultats d'une grande enquête réalisée dans le monde des transhumanistes. Son livre a été traduit en français en 2018 aux Éditions L'échappée, sous le titre *Aventures chez les transhumanistes*. Au terme de ces 250 pages d'un voyage aux confins d'une religion qui ne dit pas son nom, et qui utilise abondamment un langage pseudo-scienfitique, O'Connell se confie : « À l'heure où j'écris ces lignes, aucun esprit n'a été téléchargé sur un ordinateur. De même qu'aucun des multiples patients cryonisés n'est revenu à la vie. […] J'ai le regret de vous annoncer que la donne n'a pas changé : nous allons tous mourir. » (Voir *Transhumanisme* et *Kurzweil, Raymond*)

ICQ

Le petit son distinctif de ce service de messagerie — un des pionniers dans le domaine — résonne encore dans la tête des internautes qui surfaient sur le Web dans les années 1990.

Imaginé en 1996 par quatre étudiants israéliens, le logiciel tient son nom de l'anglais « *I Seek You* » (Je te cherche). On y discutait avec des amis ou des proches, mais on y rencontrait aussi de nouvelles personnes, à qui on demandait souvent « ASV ? » (pour « Âge ? Sexe ? Ville ? »).

En 1998, AOL a acheté Mirabilis, la compagnie qui a créé ICQ pour la revendre en 2010 au groupe russe Mail.ru.

Même s'il a beaucoup perdu de son attrait — 100 millions de comptes à son apogée en 2001, contre 11 millions d'utilisateurs mensuels en 2011 — ICQ existe toujours.

I LOVE YOU

Admettons que vous receviez un courrier électronique comportant une pièce jointe intitulée *Love-Letter-for-you.txt.vbs*. Seriez-vous capable de résister à la curiosité d'ouvrir ce fichier ? Non ? Et vous n'êtes pas seul. Voilà bien pourquoi le ver informatique I love you créé par trois Philippins, Irene et Onel de Guzman et Reomel Lamores, a infecté 10 % des ordinateurs connectés à Internet dans le monde en 2000, causant des dommages estimés entre 5 et 7 milliards de dollars américains.

Ce fichier cachait un script malicieux derrière une fausse lettre d'amour. Pourquoi tant de gens se sont fait prendre ? D'abord, parce que dans la plupart des cas, Windows n'affichait pas l'extension .vbs du fichier. Ensuite, parce que le ver utilisait les carnets d'adresses pour entrer, donc les gens avaient tendance à faire confiance, parce qu'ils pensaient recevoir un courriel d'une connaissance.

IMAGEBOARD

Un *imageboard*, ou « forum à image » en français, est un site dont le fonctionnement repose principalement sur la base du partage d'images. Les premiers sites du genre sont apparus au Japon. Encore aujourd'hui, le design de ces sites est ultra rudimentaire, voire archaïque — on pourrait presque se croire sur la toile d'il y a 15 ans.

4chan (voir référence) est un des *imageboards* les plus populaires.

IMPRESSION 3D

Au début des années 2000, les imprimantes en trois dimensions sont arrivées dans les laboratoires universitaires et les bureaux de designers industriels. Elles permettaient de créer des prototypes divers, de tester des idées.

Une dizaine d'années plus tard, quoiqu'encore très coûteuses, les imprimantes 3D ont tranquillement commencé à faire leur place dans des bibliothèques municipales, des écoles, des domiciles.

Elles permettent d'imprimer tout ou presque… Pour preuve, la controverse qui secoue les États-Unis au cours de l'été 2018 autour de l'impression d'armes à feu qui est désormais autorisée.

L'impression 3D est propulsée par le Web, où les différents modèles d'objets ou de pièces à imprimer se partagent allègrement.

IMPRESSION PUBLICITAIRE

L'impression publicitaire est le nombre de fois où une publicité a été diffusée, indépendamment du fait que l'internaute ait cliqué ou non sur cette publicité. Les internautes peuvent visualiser la même publicité plusieurs fois. Par exemple, un internaute peut visualiser une publicité une première fois dans son fil d'actualité, puis une deuxième fois si l'un de ses amis la partage.

INFLUENCEURS

Ce phénomène est apparu tranquillement, alors que des blogueurs recevaient ponctuellement des cadeaux de la part de diverses marques pour qu'ils en fassent la promotion dans leurs billets.

Aujourd'hui, le système publicitaire entourant les influenceurs est structuré, il a gagné en transparence — plusieurs normes publicitaires exigent que les contenus commandités soient identifiés — et est aussi mieux financé.

De plus en plus de marques consacrent une partie de leur budget marketing aux collaborations avec des influenceurs. Elles rejoignent ainsi des publics ciblés grâce à des contenus qui respirent « l'authenticité », valeur suprême de l'adhésion à une marque.

INFOBÉSITÉ

Infobésité est un mot-valise issu des mots « information » et « obésité ». C'est un synonyme de surinformation ou de surcharge informationnelle. Le concept sous-entend qu'il y a une surabondance d'informations dans nos vies, comme il y a surabondance de sucre dans nos assiettes.

Selon Eric Schmidt, ancien pdg de Google, « nous créons en ligne toutes les 48 heures autant de contenus que nous en avons créés depuis la naissance de l'humanité jusqu'en 2003 ». Chaque minute, 300 heures de vidéo sont téléchargées sur YouTube ; le catalogue de musique de Spotify compte plus de 25 millions de titres ; et Wikipédia contient des centaines de pages consacrées à *Star Trek*.

Le volume de données mises en ligne croît à une vitesse vertigineuse (entre 40 et 66 % par an, selon les experts) et ouvre de nouvelles perspectives d'affaires comme le *big data* (voir référence), l'analyse systématique des données massives provenant de l'univers numérique.

Si, dans la tradition humaniste, on analysait l'information en termes de richesse, cela n'est peut-être plus le cas aujourd'hui. Dans le monde intellectuel, plusieurs remettent en question l'équation « plus informé = mieux informé ». Trop d'info tue l'info, surtout quand il faut systématiquement séparer le bon grain de l'ivraie.

Dans le monde professionnel aussi, le *big data* laisse de plus en plus songeur : ce n'est pas parce que l'on dispose de données qu'elles sont toujours parlantes. Un excès de données peut noyer l'information pertinente et conduire à des conclusions aberrantes.

Enfin, d'un point de vue individuel, la surcharge informationnelle crée un sentiment d'urgence et de stress permanent, qui nuit au bien-être, au travail comme dans la vie domestique.

INTERCEPT (The)

Le 10 février 2014, moins d'un an après les révélations d'Edward Snowden, les journalistes Glenn Greenwald et Jeremy Scahill ainsi que la réalisatrice Laura Poitras (voir *Poitras, Laura*) lancent le magazine en ligne *The Intercept*.

Financée par Pierre Omidyar, le fondateur d'eBay, la plateforme doit servir à diffuser des enquêtes sur la surveillance globale par les États-Unis.

INTERNET

L'histoire pourrait s'intituler *Le satellite, le savant et le hippie*.

Le 4 octobre 1957, pour la première fois dans l'histoire, un objet volant très identifié (OVTI) émet depuis l'espace un petit bip-bip qui va révolutionner le monde. Son nom : *Spoutnik 1* (qui signifie « compagnon » en français). C'est le premier satellite artificiel de l'histoire, une petite sphère de 80 kilos de métal et de moins de 60 centimètres de diamètre, mise en orbite par l'Union soviétique à partir d'une fusée qui n'était en réalité autre chose qu'un missile intercontinental adapté à une autre mission. À partir de là, la course à l'exploration de l'espace va s'accélérer entre les grandes puissances, pour culminer, moins de 12 ans plus tard, avec l'atterrissage sur la Lune du premier équipage humain lors de la mission américaine Apollo 11.

Mais le lancement de *Spoutnik* n'est pas qu'une onde de choc aérospatiale. En fait, on lui doit le réseau qui constitue la colonne vertébrale du Web : Internet. Pourquoi ? Parce que, même si le lancement d'un satellite russe avait été anticipé depuis un moment par les Américains, la peur de perdre la main dans la course aux technologies de pointe a mené ces derniers à créer, en 1958, l'ARPA, devenue par la suite la DARPA (Defense Advanced Research Project Agency), une agence du Pentagone dont le département IPTO (Information Processing Techniques Office) est à l'origine de l'Internet que l'on connaît aujourd'hui.

Une année auparavant, Joseph Carl Robnett Licklider, un jeune ingénieur passionné d'aviation, avait été nommé vice-président de la compagnie américaine BBN (Bolt, Beranek and Newman), fondée en 1948, qu'on aurait probablement désignée sous le vocable de start-up si le terme avait existé à l'époque. Issue du milieu universitaire, fondée par des professeurs, d'ex-professeurs et des doctorants, l'entreprise constitue alors la « troisième université » de la ville de Cambridge, au Massachusetts, après le MIT et Harvard. BBN s'occupe à ses débuts d'acoustique (on lui doit notamment celle de l'auditorium principal du siège des Nations unies à New York) et, à partir de la fin des années 1950, elle utilise massivement les ordinateurs pour réaliser ses calculs. Elle est considérée comme pionnière dans l'histoire de l'informatique. Joseph Licklider est d'ailleurs à l'origine de l'achat du premier ordinateur PDP-1 fabriqué par la compagnie Digital Equipment Corporation (DEC), une machine qui est à l'informatique ce que la Ford T est à l'automobile : une révolution. Joseph Licklider est aussi un brillant intellectuel, et l'initiateur d'une réflexion féconde autour des relations entre l'être humain et la machine. Dès 1960, dans *Man-Computer Symbiosis*, un texte fondateur, il tente d'imaginer à quoi pourrait ressembler une collaboration fructueuse entre le cerveau humain et celui des machines : l'intelligence artificielle.

La contribution majeure de Joseph Licklider aux prémices d'Internet se résume à deux concepts : (1) partager du temps sur des ordinateurs communs, ce qui suppose donc (2) de les mettre en réseau. L'idée d'un réseau informatique imaginé sur des principes de décentralisation avait déjà été concrétisée quelques années auparavant dans le cadre du projet SAGE (Semi-Automatic Ground Environment), un système de détection et de traque des menaces soviétiques, mis en service lui aussi à la fin des années 1950.

Mais c'est en 1962, avec la création au sein de la DARPA, de l'IPTO, dont Joseph Licklider sera le premier directeur, que les bases d'Internet, ce réseau de réseaux, ont véritablement pris forme. Joseph Licklider lui

Le Web compte beaucoup plus de machines connectées que d'internautes a donné un nom digne de l'emphase propre à la Silicon Valley depuis ses débuts : Intergalactic Computer Network (IGCN).

Dans une lettre adressée à ses collègues quelque temps après son arrivée à l'IPTO, Joseph Licklider souligne d'ailleurs la difficulté qu'il éprouve à bien nommer ce tout nouveau projet de recherche dont il est le chef. Il ne faut pas oublier qu'alors, les ordinateurs sont des mastodontes avec lesquels il est non seulement difficile de communiquer, mais dont les systèmes d'exploitation, les langages de programmation et les interfaces sont si divers qu'ils empêchent toute communication entre eux, même entre ordinateurs d'un même modèle. Le but du projet qui deviendra ARPANET est donc, selon les dires de Joseph Licklider, de favoriser l'interaction et la communication des ordinateurs entre eux, par la mise en place d'un langage de communication commun. Vingt-cinq ans plus tard, quand Tim Berners-Lee va concevoir les bases du WWW (un protocole bâti sur l'architecture d'Internet) au CERN (voir référence), il dira à peu près la même chose.

INTERNET DES OBJETS

Le Web compte beaucoup plus de machines connectées que d'internautes. Ces machines en ligne ont un nom : l'Internet des objets, ou *Internet of Things* (IoT) en anglais.

Il fut un temps où le Web était un petit village peuplé de quelques *geeks*.

Lorsque Tim Berners-Lee met en ligne le premier site Web de l'histoire, le 6 août 1991 — site toujours accessible à l'adresse http://info.cern.ch — il crée une sous-section People, qui peut être considérée comme le premier annuaire du Web. Cet onglet regroupe les noms et les adresses d'une vingtaine de scientifiques et d'étudiants qui travaillent avec lui au CERN, dont on pourrait dire qu'ils constituent aussi les premiers internautes (il y avait auparavant les gens branchés sur le réseau Internet, créé en 1969, mais il faut voir le Web comme une application née sur l'armature d'Internet).

Cette section comporte aussi quelques perles. Ainsi, on peut y voir, dans la description d'un étudiant, Alain Favre, que ce dernier ne dispose pas encore de courriel, mais qu'on peut tout de même le joindre par téléphone (dont on donne l'extension) et qu'il est au bureau, « la plupart du temps en après-midi ». Assurément, il fut un moment dans l'histoire où le monde était beaucoup plus simple. Et la vie de bureau d'un chercheur aussi. D'ailleurs, entre 1991 et 1995, on estime que seulement 1000 sites ont été créés. Des adresses qui auraient pu tenir sur quelques pages de papier, un document plus petit que le plus petit des annuaires régionaux disponibles à la même époque.

Moins de 30 ans plus tard, on estime qu'en 2020, le nombre d'objets connectés va osciller entre 26 et 200 milliards d'unités. Une variabilité qui provient à la fois de l'optimisme que l'on entretient face aux développements technologiques et de la nature des éléments que l'on prend en considération (les objets avec des adresses IP, comme nos ordinateurs ou nos haut-parleurs connectés, ou plus généralement les objets auxquels on a simplement collé une puce *Radio Frequency Identification,* comme les livres dont on veut garder la trace dans les entrepôts). Tout, ou presque, peut recevoir son badge de membre de l'IoT.

Il peut s'agir de senseurs placés sur des moteurs d'avion, qui relaient des informations aux serveurs des motoristes (comme ceux qui ont permis de savoir que le vol MH370 de Malaysia Airlines a continué de voler longtemps après avoir disparu des écrans radars) ; de montres ; d'automobiles (on estime que plus de 90 % des nouveaux véhicules seront connectés en 2020) ; de la caméra de surveillance dans la chambre de la petite dernière ; de la cafetière, du frigo, du thermostat ; de vêtements…

Si on a vendu en 2015 moins d'un million de vêtements capables de transmettre des données, ce chiffre pourrait passer à plusieurs milliards au début de la décennie 2020. On trouve aussi, parmi la panoplie d'objets connectés, des appareils médicaux (il suffit de penser aux stimulateurs cardiaques, aux implants cochléaires, mais aussi aux lits connectés dans les hôpitaux, aux thermomètres, aux glucomètres, etc.) et les senseurs qui constellent maintenant les usines qui manufacturent nos biens. On estime que le marché de la santé et des manufactures pourrait à lui seul représenter 80 % de la valeur de l'Internet des objets d'ici peu. À se demander quels objets ne seront pas connectés dans 10 ans.

Comme il s'agit d'un marché énorme (on prévoit qu'il dépasse le billion de dollars américains en 2020), il faut s'attendre à ce que la pression pour acheter ce genre de produits soit exponentielle. C'est pourquoi vous verrez probablement de plus en plus de publicités inspirées de ce texte publié dans le magazine économique américain *Forbes* : « Et si votre réveille-matin vous tirait du lit en même temps qu'il ordonnait à la cafetière d'infuser votre premier café ? Et si vos meubles de bureau commandaient automatiquement des agrafes et du papier quand il commence à en manquer ? Et si vos vêtements connectés étaient capables de vous dire quand et à quel endroit vous avez été le plus productif, tout en partageant cette information avec les autres appareils que vous utilisez au travail ? »

Ce qui amène son lot de questions : Est-ce que le fait que la cafetière ne soit pas branchée à notre téléphone cellulaire nous ralentit tant que ça le matin ? Est-ce qu'il est d'une si grande importance de permettre à votre patron de savoir où et quand vous êtes le plus efficace ? Est-ce que les scientifiques du projet Apollo ont souffert de ne pas avoir d'agrafes commandées automatiquement par leurs bureaux connectés ?

Dans un numéro récent de la revue *Foreign Policy*, des spécialistes en cybersécurité tiraient la sonnette d'alarme sur la menace que représente l'arrivée de milliards de petits appareils connectés à nos réseaux sans-fil. Le 21 octobre 2016, une armée d'appareils infectés (ou zombies, si vous préférez) appartenant à l'Internet des objets a mené une attaque concertée contre Twitter, Netflix, Amazon et le *New York Times*, notamment, en inondant leurs serveurs de requêtes simultanées, ce qui a instantanément bloqué leur trafic. Selon ces spécialistes, pirater des appareils de l'IoT est relativement facile, car plusieurs d'entre eux sont des biens de consommation peu coûteux.

Refuser de payer ses objets connectés signifie également économiser sur sa sécurité. En 2018, Nicole Eagan, la PDG de la firme de cybersécurité Darktrace a révélé lors d'une rencontre de *hackers* que les systèmes informatiques d'un casino de Las Vegas avaient été piratés lors d'une attaque perpétrée à partir d'un objet connecté plutôt inusité : le thermostat d'un aquarium qui se trouvait dans le hall d'entrée. Et ce n'est que le début. L'Internet des objets nous prépare-t-il un avenir où des titres comme « Une attaque de frigos paralyse le système de distribution d'Hydro-Québec » seront communs ? Plusieurs poètes surréalistes auraient adoré. La réalité risque d'être moins lyrique.

INTERNET EXPLORER

En 1995, la compagnie Microsoft crée un navigateur Web qui, en quelques années, va écraser la concurrence. Microsoft propose en effet son Internet Explorer sur toutes les plateformes Windows et, dès 2002, le navigateur détient 95 % des parts de marché. Mais Microsoft prend aussi de mauvaises habitudes : entre autres, celle de refuser de se conformer aux normes des autres navigateurs, ce qui alourdit la tâche des développeurs.

Pendant 10 ans, Microsoft n'apporte aucune amélioration à la version 6 d'Internet Explorer, alors que ses concurrents, eux, ne cessent de progresser. Au fil des années, Internet Explorer devient surtout célèbre pour sa lenteur, tandis que Google Chrome et Mozilla Firefox (voir référence) lui ravissent de plus en plus de parts de marché. Les blagues et les mèmes Internet (voir référence) se multiplient, inscrivant à jamais dans la culture Web la désormais célèbre inefficacité d'Internet Explorer.

JAVA

Java, apparu en même temps qu'Internet, dans les années 1990, est sans doute le langage de programmation le plus connu. Il serait né par hasard, alors que l'informaticien canadien James Gosling tentait de « nettoyer » un autre langage, C++.

JAVASCRIPT

Le langage de programmation JavaScript a été créé en 10 jours en 1995 pour l'entreprise Netscape Communications Corporation. Son inventeur, l'informaticien américain Brendan Eich, s'est inspiré de plusieurs langages existants, entre autres Java, dont il a simplifié la syntaxe pour le rendre plus accessible aux débutants.

En 2018, JavaScript est encore l'un des langages de programmation les plus utilisés, principalement pour les pages Web avec des contenus interactifs.

JEUNE POUSSE

Une jeune pousse (ou start-up en anglais, mais aussi accepté en français) est une entreprise en développement qui propose souvent une technologie ou un modèle d'affaires innovant, sensé « disrupter » le marché (voir *Disruption*). Une jeune pousse fait valoir son potentiel de croissance économique pour lever des fonds de la part d'investisseurs.

L'univers des start-ups est un monde en soi ; on pourrait presque parler de religion. Comme cette dernière, il s'accompagne d'une nuée de termes mythologiques, liturgiques, divins : on y trouve des licornes, des anges investisseurs, des évangélistes technologiques, etc. Il possède également aussi ses lieux saints, où l'on se rend en pèlerinage, comme les garages (voir référence), les incubateurs, les accélérateurs ; mais aussi une glossolalie, c'est-à-dire une langue bien à lui, que seuls les initiés comprennent, et qui contient des barbarismes du genre de : disruption, intraprenariat ou capital de risque.

Et puis, il a ses dogmes, dont le plus important est la croissance. La start-up est une jeune entreprise qui a un potentiel de croissance exceptionnel (ce qui n'est pas forcément synonyme de rentabilité), et donc un fort potentiel de souscription auprès des investisseurs.

Le but ultime d'une start-up est de devenir une licorne (voir référence). CB Insights, une société de conseil et d'analyse, tient un décompte en temps réel, et estime qu'il en existe aujourd'hui 134, la plupart américaines : Uber, le fabricant chinois de téléphone Xiaomi, le site de location immobilière Airbnb, le service de partage de photos Snapchat, ou encore le site d'infodivertissement (infotainment) BuzzFeed, Dropbox, Pinterest, Lyft, etc.

Plus largement, la start-up s'inscrit aussi dans une culture d'entreprise et un modèle d'entreprenariat particuliers. Ce modèle repose sur un mode d'organisation et de gestion vaguement libertaire et hérité des idéaux de la Silicone Valley : culture de l'innovation, gestion décentralisée, absence de hiérarchie, agilité.

Pour s'approprier cette culture de start-up, certaines entreprises intègrent des accélérateurs à leurs activités et transforment leurs employés en intrapreneurs (des entrepreneurs internes) afin de faire bouger leurs structures techniques et organisationnelles.

La start-up a même pris du galon, au point de parler maintenant de « Start-up Nation » ! C'est le titre d'un ouvrage consacré à l'économie israélienne, caractérisée par une surreprésentation de sociétés technologiques générant une croissance économique exceptionnelle.

JOBS, STEVE

Steve Jobs est un entrepreneur américain né à San Francisco en 1955. Il est le cofondateur, entre autres, de l'entreprise de micro-informatique Apple, et des studios Pixar (Pixar Animation Studios). Il est décédé en 2011 des suites d'un cancer.

Son décès a été vécu comme une perte pour l'humanité, tant la personne était adulée. Il faut dire que Steve Jobs était, pour ses admirateurs, plus qu'un être humain : c'était une icône. Quant à Apple, ce n'est plus une entreprise : c'est une légende. Et pour cause : l'histoire d'Apple et de son fondateur comprend tous les éléments du récit mythologique.

Né d'une relation hors mariage entre une élève de l'université du Wisconsin et un immigré iranien, Steve est confié à une famille d'accueil après que le père de sa mère biologique l'eut menacée de la déshériter si elle épousait un non-catholique. Sa famille d'accueil l'élèvera comme son propre fils. À l'adolescence, il flirte avec la mouvance hippie, la musique rock, des groupes comme The Doors et The Beatles, et bien sûr, Bob Dylan. Il est attiré par le bouddhisme et devient végétarien. Il effectue un pèlerinage en Inde pour trouver un sens à sa vie et rencontrer des sages hindous.

La spiritualité hindoue laisse vite place à un messianisme technologique supporté par un charisme exceptionnel, qui lui permet de diffuser ses convictions et ses idées. Ses collègues diront de lui qu'il sait créer un « champ de distorsion de la réalité » (*reality distortion field*) : en sa présence, la réalité devient malléable et tous les rêves semblent soudainement pouvoir se réaliser.

En 1976, alors qu'il ne dispose que de peu de moyens financiers, il fabrique un ordinateur personnel dans le garage de ses parents. Jeune et rebelle, Steve Jobs est un hérétique qui veut fonder un nouveau culte qui fera bientôt de plus en plus d'adeptes : l'utopie informatique. Steve Jobs s'entoure de gens visionnaires et intelligents qui font figure d'apôtres : Steve Wozniak, un génie de l'informatique, puis plus tard, John Lasseter, un pionnier en matière de films d'animation (et futur directeur artistique de Pixar Animation Studios et de Walt Disney Animation Studios), et Jonathan Ive, un designer industriel de génie.

Steve Jobs est un démiurge, une divinité qui offre la technologie aux hommes comme Prométhée a volé le feu sacré aux dieux pour le restituer aux humains. Il invente des machines et des outils faciles à utiliser et accessibles à tous : le Macintosh (le Mac) en 1985, la souris, les icônes, des interfaces ludiques.

Dans la liturgie jobienne, il y a aussi l'ennemi, le grand monstre Léviathan, qui incarne les valeurs du mal : le monopole, les vestons gris et l'absence de créativité. Ce costume de méchant sera endossé tour à tour par IBM, puis par Microsoft. En 1984, dans ce qui deviendra la publicité la plus connue de l'histoire, le réalisateur Ridley Scott présente IBM comme Big Brother, le personnage de fiction inventé par George Orwell dans son célèbre roman *1984*, et Apple comme la rebelle qui casse les écrans de la propagande. Cette publicité de 60 secondes ne sera diffusée qu'une seule fois sur les écrans américains, le 22 janvier 1984, pendant le troisième quart du 18e Super Bowl.

Malgré les difficultés économiques qui suivront, et le limogeage de Steve Jobs de sa propre compagnie en 1985, le Mac incarnera pour

Steve Jobs ne transforme pas l'eau en vin mais le lecteur de musique en iPod, et le téléphone cellulaire en iPhone toujours la croisade pour l'indépendance, la liberté, le plaisir, l'esthétique, la créativité, face au sérieux et à la rigidité d'IBM et de Microsoft.

Pendant 13 ans, Steve Jobs effectue une traversée du désert qui lui permettra de poser les jalons de son futur retour en grâce. En 1998, il revient tel le Messie à Apple, alors en faillite. L'entreprise retrouve la prospérité.

En 2004, on lui diagnostique un cancer du pancréas, qui le suivra jusqu'à sa mort en 2011.

Steve Jobs ne transforme pas l'eau en vin, mais le lecteur de musique en iPod, et le téléphone cellulaire en iPhone. Il fait bâtir ces lieux de culte que deviendront les boutiques Apple Store, sortes de cathédrales en verre où l'on peut venir admirer les livres sacrés : les MacBook.

Sa dernière œuvre sera la tablette (ardoise tactile). Steve Jobs est monté sur la montagne sacrée, et il en est redescendu avec le iPad, pour le donner au peuple, tel Moïse qui a remis les Tables de la Loi au peuple juif.

JUICERO

Le Juicero est un extracteur à jus de fruits et de légumes connecté qui s'est retrouvé en 2016 au cœur d'une controverse sur l'innovation technologique dans la Silicon Valley.

Quand on parle de la Silicon Valley, on pense immédiatement aux nouvelles technologies, à l'innovation, aux voitures intelligentes, aux super ordinateurs, etc. Mais en 2016, c'est un extracteur à jus qui a attiré toute l'attention : le Juicero, pour lequel on était parvenus à lever 120 millions de dollars américains en capital-risque, avant même d'avoir vendu le moindre appareil.

L'objectif de la start-up était de créer un extracteur à jus inspiré de la machine à café à capsules Nespresso : un pressoir dans lequel il suffisait d'insérer une pochette en plastique Juicero, contenant des morceaux de fruits et de légumes frais, et la machine exerçait exactement la pression adéquate pour en extraire le jus. Tout cela pour le prix exorbitant de 700 $ américains (un prix revu à la baisse par la suite). Une solution très peu écologique, mais qui avait le mérite de garder le consommateur captif dans un système d'abonnements. Le marché semblait prometteur.

Mais voilà ! Peu de temps après la sortie du pressoir, des journalistes de Bloomberg ont publié une expérience qui démontrait que si on pressait une pochette à la main, on obtenait autant de jus, et plus rapidement qu'avec le Juicero. Après la parution de leur article, des amateurs se sont amusés à analyser l'intérieur de la machine. Le constat fut cinglant : le Juicero était un bijou d'ingénierie, fabriqué avec des pièces de très haute qualité assemblées avec attention, mais d'une complexité complètement inutile !

Une simple petite vidéo a suffi pour que le Juicero devienne le symbole de la vacuité du culte des nouvelles technologies et de la Silicon Valley — le symbole d'une économie en panne d'inspiration.

Selon Ben Tarnoff, chroniqueur techno pour *The Guardian*, le Juicero a montré que les États-Unis étaient devenus une économie anti-innovation (rien de moins). Peter Thiel, entre autres cofondateur de PayPal et un des premiers investisseurs de Facebook, et qui a le sens de la formule, a même affirmé que l'innovation en Amérique était coincée « quelque part entre Dire Straits et la mort clinique ». Sa phrase « On rêvait de voitures volantes et on a eu 140 caractères » est depuis devenue canonique.

Cette idée d'une « panne de l'innovation » prend de l'ampleur chez certains économistes qui estiment que nous avons atteint un plateau technologique. Cela se matérialiserait par une stagnation du taux de croissance depuis les années 1970.

L'un des plus grands défenseurs de cette théorie s'appelle Robert J. Gordon (auteur de *The Rise and Fall of American Growth*). Selon lui, les grandes découvertes technologiques qui ont profondément modifié la vie des gens (l'électricité, le moteur à combustion, la chimie, etc.) sont du domaine du passé. Le monde a beaucoup plus changé entre 1880 et 1950 que durant les 70 dernières années. La plupart des gens disposent maintenant de l'électricité, de l'eau courante, d'une automobile ou d'une machine à laver.

Pour Ben Tarnoff, l'investissement est en panne, parce que les investisseurs pensent à court terme et veulent des résultats immédiats (comme ce fut le cas pour le Juicero). Autre facteur : nos sociétés n'investissent plus dans la recherche publique. En cause, le mythe de l'entrepreneur façon Steve Jobs, qui entre dans son garage et en ressort avec une invention qui révolutionne le monde. Ben Tarnoff explique que l'innovation est en réalité très coûteuse et exige un investissement majeur du secteur public. Le Web en est un parfait exemple puisqu'il est né entre les murs du CERN, l'Organisation européenne pour la recherche nucléaire.

Les entreprises ont besoin de la recherche pour innover, mais elles ne veulent pas toujours prendre le risque de financer cette recherche. D'où l'importance des fonds publics. Il ne faut jamais oublier que, derrière chaque Steve Jobs, il y a des investissements publics de plusieurs milliards de dollars.

On pourrait rétorquer à Ben Tardoff que l'échec du Juicero n'est pas une preuve suffisante pour condamner toute une industrie, ou pour reprocher au libre marché son incapacité à innover. Il prouverait même tout le contraire : vous créez un produit inutile, des personnes le critiquent, votre produit échoue. Donc, dans le fond, cela favorise plutôt l'innovation, en éliminant les mauvaises idées. Enfin, il faut ajouter que l'exploitation d'une technologie prend du temps. Entre l'invention de l'électricité en 1880, et son déploiement, puis sa pleine exploitation, plus de 40 ans ont passé.

Toujours selon Robert J. Gordon, la révolution des technologies de l'information ne changera pas le monde au point où, par exemple, l'électricité a pu le faire, et son impact sur la croissance économique sera bien plus limité.

En 2004, la Defense Advanced Research Projects Agency (DARPA) promettait 1 million de dollars américains à l'entreprise qui arriverait à fabriquer une voiture autonome sur 150 miles (240 km). Aucun des concurrents n'avait réussi à concevoir un tel véhicule. En août 2012, Google a annoncé que sa flotte de véhicules autonomes avait achevé un demi-million de kilomètres de tests sans accident.

KRACH DU JEU VIDÉO

Dans le sud du Nouveau-Mexique, les autoroutes s'étirent, sans bosses, dans des courbes aussi paresseuses que la dénivellation, parmi des immensités de roc et de sable, et de petites villes en petites villes entre lesquelles il n'y a rien. Ou si peu. Cormac McCarthy (auteur de *La route*) a tout pris pour ses romans, reste l'anecdote.

Si on roule vers le sud, sur la désertique Interstate-25, on passe notamment par la ville de Truth and Consequences, qui a adopté ce nom en 1950, après que l'animateur d'un jeu radiophonique populaire du même nom ait promis d'enregistrer son émission dans la première ville qui prendrait ce vocable. C'est un peu comme si Québec changeait son nom pour celui d'une émission animée par Jeff Fillion.

Puis, à Las Cruces, à 50 kilomètres de la frontière mexicaine, on bifurque vers l'est pour se retrouver face à un mur : les sommets du monument national Organ Mountains. De grandes montagnes couleur rouille aux pics acérés, qui culminent à 2500 mètres, adossées au désert sous un ciel presque toujours bleu. La route monte alors abruptement pour se frayer un chemin entre les blocs dénudés, puis redescend de l'autre côté dans un des ensembles géologiques les plus extraordinaires qui soit : le désert de White Sands. Une mer de sable d'un blanc éclatant, le plus grand désert de gypse au monde, lové entre des sommets immenses. L'ensemble, qui fait penser à un lendemain de tempête de neige alors qu'il fait 40 degrés, relève du sublime.

L'endroit est d'ailleurs chargé de mystère : ce désert est littéralement entouré par la plus grande zone militaire des États-Unis, le polygone d'essais de missile de White Sands. C'est d'ailleurs sur ce site de 8000 kilomètres carrés (16 fois l'île de Montréal) que les Américains ont effectué leur tout premier essai d'une arme nucléaire, sous le nom de code Trinity, dans le cadre du projet Manhattan. Et, tout juste à côté, se trouve la Holloman Air Force Base, qui abrite les F-22, des avions ultra secrets, que le département de la Défense des États-Unis refuse d'exporter vers les pays alliés.

C'est aussi dans cet endroit qui fait partie des régions les moins peuplées du pays que se trouve la petite ville d'Alamogordo, où le vaisseau spatial d'E.T. l'extra-terrestre est venu s'écraser pour de bon, enfin presque. Car le dépotoir d'Alamorgordo est devenu le symbole d'une des crises économiques les plus retentissantes de l'histoire de la technologie : la crise du jeu vidéo de 1983.

Après 10 années de croissance effrénée suivant la mise en marché du jeu *Pong* en 1972, le pilier de l'industrie, Atari, qui représente alors 80 % du marché des consoles, est en difficulté. Achetée par Warner Communications pour 30 millions de dollars américains en 1976, Atari pèse 2 milliards américains 6 ans plus tard. Mais derrière le succè de jeux comme *Yars' Revenge, Asteroids* et *Missile Command* se cache une assise fragile.

Enivrés par les succès planétaires de leurs jeux vidéo dans les arcades du monde entier et par l'arrivée triomphale de la console domestique Atari 2600 en 1977, les dirigeants d'Atari se pensent invincibles. Comme le jeu vidéo grand public n'en est alors qu'à ses balbutiements, on ne connaît pas encore vraiment la recette permettant d'obtenir un bon jeu, enfin, on la connaît moins bien qu'aujourd'hui.

Les concepteurs de jeux vidéo sont encore peu nombreux, et les jeux, bons ou mauvais, se vendent comme des petits pains chauds. Trente ans après son invention, la télévision devient interactive. Autre avantage lié au développement du jeu : comme la mémoire des ordinateurs, la mémoire des cartouches est minuscule (le code du jeu *Pac-Mac* « pèse » 4k, soit environ l'équivalent de la mémoire nécessaire pour enregistrer une page de texte). Ces mémoires lilliputiennes ont une conséquence pratico-pratique : le développement d'un jeu n'est généralement pas très long. La plupart des jeux mythiques d'Atari de l'époque ont été créés en quatre à six mois, par des équipes de quelques personnes. On est bien loin des centaines de millions de dollars investis dans les salaires de centaines de personnes qui travaillent pendant trois ans sur des jeux qui durent des centaines d'heures, comme c'est le cas pour les jeux de type AAA que l'on connaît aujourd'hui dans l'industrie.

Atari permet donc à n'importe qui de créer des jeux, parce que, bons ou mauvais, ceux-ci se vendent par millions. C'est comme si une grande chaîne de restauration arrêtait soudainement de superviser le travail de ses franchisés. Comme le disait l'homme d'affaires Ray Kroc, qui a racheté McDonald's à ses fondateurs, trop peu ambitieux à son goût : « Je n'ai pas inventé le hamburger, je l'ai seulement pris plus au sérieux que quiconque. […] J'ai mis le hamburger sur la ligne d'assemblage. »

À l'époque, l'univers du jeu vidéo ressemble donc à un McDonald's sans Ray Kroc : il arrive fréquemment que les hamburgers soient servis sans viande, ou pire, dans du pain rance. Pendant un certain temps, cela fonctionne : pourquoi se gêner ?

Autre élément à charge : cette période marque le début d'une tendance dans le monde du jeu vidéo : celle des mauvaises adaptations de films. En effet, les créateurs de jeux disposent d'une « palette » assez limitée : une mémoire réduite, de gros pixels aux couleurs basiques, et un son synthétique à des années-lumière des bandes-son orchestrales qui habillent la plupart des jeux vidéo actuels. Tout cela a grandement contribué à couler le vaisseau amiral Atari.

On peut facilement imaginer la déception des fanatiques de la série *Star Wars* qui, en 1982, assistent à la sortie en grande pompe du jeu *Star Wars: The Empire Strikes Back*, basé sur le film éponyme. Le premier jeu vidéo sous licence officielle adapté de l'univers *Star Wars*. L'illustration sur le boitier rappelle l'épique bataille de Hoth, un chapitre hivernal inoubliable de la grande saga. Le jeu se résume à une piètre adaptation extrêmement pixelisée. Cerise sur le sundae : on apprend quelques mois après sa sortie qu'il est impossible de… gagner ! Le jeu permet uniquement deux finales : voir ses vaisseaux détruits par l'armée de Darth Vader ou voir sa base réduite en poussière par l'armée impériale. L'absurde réalité contingente de notre vie ici-bas fait de très mauvais jeux vidéo. Albert Camus, qui n'a jamais réussi un seul scénario de jeux vidéo, en est la preuve éclatante. Malgré tout, le jeu se vend relativement bien, comme *Pac-Man* d'ailleurs, dont l'adaptation pour la petite console ne soulève pas vraiment l'enthousiasme des critiques. Cette période bénie, où l'industrie fait des millions en produisant des babioles, touche à sa fin.

La surproduction de titres plus mauvais les uns que les autres, l'avènement d'ordinateurs personnels plus performants que les consoles, tout cela combiné à la lassitude des consommateurs, sonne le glas de l'industrie. En moins de trois ans, de 1982 à 1985, les revenus du secteur du jeu vidéo passent de 3,2 milliards de dollars américains à moins de 100 millions, soit une chute de 97 %.

C'est donc investi de cette confiance provenant de consommateurs semble-t-il loyaux malgré toute la camelote qu'on leur fourgue qu'Atari refait le coup quelques mois plus tard avec un nouveau poids lourd : *E.T., l'extra-terrestre*. Ce *hit* instantané vient alors tout juste de détrôner le tout puissant *Star Wars* au firmament des films les plus lucratifs de l'histoire et, chose rare, il fait l'unanimité chez les critiques et le grand public.

Au mois de juillet 1982, les dirigeants d'Atari s'entendent avec Steven Spielberg et Universal Studios sur un montant considérable — 25 millions de dollars américains — pour d'obtenir les droits du film. À l'époque, ce genre de transaction oscillait entre 1 et 5 millions de dollars américains. Mais si on considère qu'un jeu moyennement réussi peut se vendre en 1982 à 1 million d'exemplaires, comme dirait l'autre, le compte est bon.

Mais, il y a un « mais » : l'accord est signé en juillet, et le jeu doit être sur les tablettes des magasins au début du mois de décembre. Étant donné la lenteur du processus de création de ses cartouches, Atari ne dispose que de cinq semaines pour créer LE jeu. Heureusement, l'entreprise regorge de jeunes programmeurs talentueux et l'un d'entre eux, Howard Scott

Warshaw, vient de signer des titres qui marqueront l'histoire du jeu vidéo (entre autres, *Yars' Revenge*) et d'adapter avec succès le premier Indiana Jones (*Raiders of the Lost Ark*). Le patron d'Atari lui demande donc s'il se sent capable de développer un jeu en cinq semaines. La réponse est oui. Après tout, Haendel a bien composé son *Messie* en moins d'un mois.

Howard Warshaw va réussir son pari, mais techniquement son jeu souffre des limites de temps qui lui ont été imposées. Le joueur, dans la peau de l'extra-terrestre, doit rassembler les pièces de son téléphone pour appeler chez lui. Il est pris en chasse au passage par des agents fédéraux et des médecins, dans des tableaux d'une banalité graphique sans nom, même pour l'époque. Une forme qui rappelle Elliott apparaît parfois à l'écran pour aider le joueur, mais l'identification est nulle, et le jeu a de sérieuses lacunes scénaristiques et techniques.

Les six mois qui suivront seront une longue descente aux enfers pour Atari et pour l'industrie. Comme prévu et à la suite d'une campagne publicitaire digne de celle du film dont il est inspiré, le jeu *E.T. the Extra-Terrestrial* est livré à temps pour Noël, et se vend très bien. Mais Atari a produit quatre millions de cartouches, et les ventes sont catastrophiques. Les retours se font par millions. Avec une action en baisse en décembre 1982, Atari est en très mauvaise posture au début de l'année 1983.

Dans un documentaire de 2014 consacré à l'un des sites d'enfouissement les plus célèbres des États-Unis, à Alamogordo, au Nouveau-Mexique, on peut voir le concepteur du jeu *E.T.*, Howard Warshaw, expliquer comment un mélange de suffisance et d'insouciance l'a mené à accepter l'offre irréaliste de son patron en 1982. En parallèle, on suit le travail d'une bande de fanatiques décidés à prouver que des millions de cartouches invendues ou retournées ont bel et bien été enfouies à cet endroit par Atari. Malgré de nombreux témoignages pour l'appuyer, ce fait était devenu une légende urbaine. Extraits de journaux jaunis à l'appui, l'équipe finit par retrouver 700 000 cartouches. Et comme dans les jeux vidéo, la découverte de ce tableau caché de la grande histoire a recelé bien des *bonus combo* pour ceux qui se sont laissé prendre... au jeu. Pour avoir autorisé les fouilles sur son territoire, la ville d'Alamogordo a obtenu 65 000 $ sur les 107 000 $ qu'a généré la vente de 881 vieilles cartouches poussiéreuses d'un jeu finalement adulé, 30 ans après sa création. Moralité : ne jamais sous-estimer le pouvoir de la nostalgie.

S'il est maintenant admis que le jeu *E.T.* n'est qu'un symptôme, et non la cause, du krach de 1983, les prédictions les plus sombres émises à l'époque envers l'industrie ne se sont jamais matérialisées. L'industrie du jeu vidéo a dépassé Hollywood depuis plusieurs années au firmament des revenus, et elle a gagné ses galons de 10ᵉ art et sa place dans des collections muséales comme celle du Museum of Modern Art de New York (MoMA).

Quant à Howard Warshaw, après avoir erré de petits boulots en petits boulots et avoir connu son heure de gloire comme *rock star* au début de la vingtaine, il est finalement devenu psychologue dans la Silicon Valley. Et « elle en a bien besoin », disait-il récemment.

Joe Lewandowski, entrepreneur en enfouissement à Alamogordo et codécouvreur de cette singulière caverne d'Ali Baba, garde de son côté jalousement un stock de 297 cartouches d'*E.T.* en attendant qu'elles prennent de la valeur. Il dit espérer qu'Hollywood se lance dans ce qu'Hollywood sait si bien faire pour regarnir ses coffres : une suite.

Et peut-être que cette fois-ci, le gentil extra-terrestre choisira d'atterrir dans le désert du Nouveau-Mexique. Après tout, il s'y passe des choses bien étranges, et tellement payantes.

KURZWEIL, RAYMOND

Né en 1948 à New York, Ray Kurzweil est une figure majeure du mouvement transhumaniste (voir référence). Diplômé du MIT (voir référence), il travaille dans le domaine de l'intelligence artificielle en plus de jouer le rôle de « futurologue », notamment dans des livres à succès dont il est l'auteur, comme *Humanité 2.0*, en 2005. Depuis 2012, il est aussi directeur de l'ingénierie pour Google.

Très bien placé — tant en raison du poste qu'il occupe à Google que de la reconnaissance que lui ont accordée de nombreux médias, comme *Forbes* ou *The Wall Street Journal* — pour mettre de l'avant ses idées sur la singularité (voir référence), Ray Kurzweil croit que le développement de l'intelligence artificielle permettra, dans un avenir rapproché, de faire en sorte que le cerveau humain soit téléchargeable sur le *cloud*, rendant ainsi l'humain immortel.

Afin d'augmenter ses chances de vivre jusqu'au moment où cela sera possible — il avance la date de 2029 —, il consomme plus d'une centaine de pilules par jour.

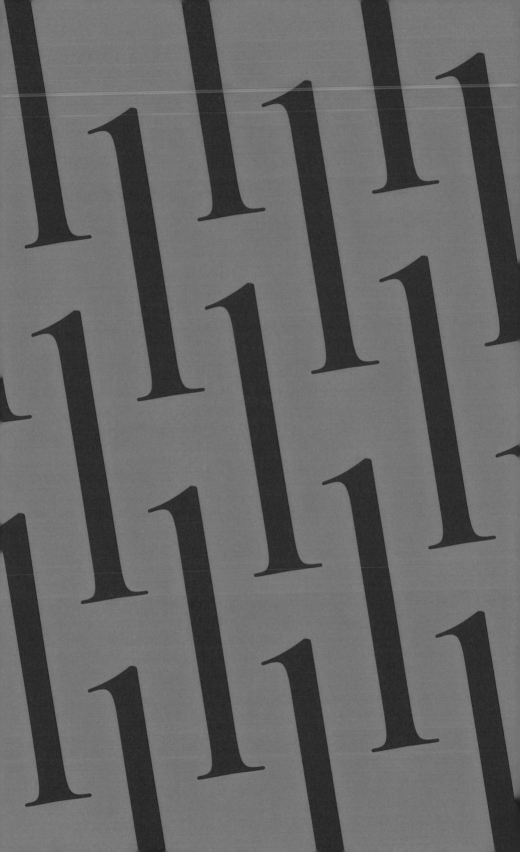

LOPHT HEAVY INDUSTRIES

À la fin des années 1990, un groupe de pirates informatiques a fait l'objet d'une question dans le jeu Trivial Poursuit. La question était la suivante : « Qu'est-ce que le groupe de *geeks* appelé L0pht Heavy Industries (l-0-p-h-t) a affirmé pouvoir paralyser en 30 minutes devant une commission du Sénat des États-Unis ? » La réponse : Internet. Ni plus ni moins.

Quelques mois plus tôt, L0pht Heavy Industries avait trouvé une faille majeure dans un des protocoles du Web. L'exploitation de cette faille aurait eu un effet en cascade dévastateur sur la plupart des routeurs utilisés à l'époque. Cette réaction en chaîne aurait pu mettre Internet à terre.

L'histoire de L0pht Heavy Industries est intimement liée à la démocratisation d'Internet dans les années 1990. C'est celle d'une bande de *geeks* de la région de Boston qui se rencontrent sur des babillards informatiques, à une époque où Internet devient plus accessible, grâce à l'arrivée de navigateurs grand public comme Mosaic en 1993 (qui deviendra Netscape Navigator un peu plus tard), puis Internet Explorer. Chaque nouveau portail, chaque nouveau logiciel, devient une porte d'entrée supplémentaire pour les internautes mal intentionnés.

Les membres de L0pht Heavy Industries se retrouvent après le travail dans un local qu'ils louent pour réparer des machines : le stéréotype de l'appartement *geek,* rempli d'ordinateurs, de câbles, de jeux d'arcade et de boîtes de pizza vides jonchant le sol. C'est là que tous les soirs, ils s'adonnent à leur passe-temps favori : dénicher et exploiter les failles des logiciels grand public, et pénétrer dans les systèmes internes des réseaux commerciaux.

Ils se décrivent comme des pirates « *grey hat* » c'est-à-dire dans une zone grise, ni bons (*white hat*) ni mauvais (*black hat*), avec leur propre éthique. Ils s'infiltrent dans les systèmes pour mieux en exposer les failles et ils diffusent ces informations par l'intermédiaire de leur site Web, l0pht.com. Leur victime favorite est le géant Microsoft qu'ils parviennent à pirater. Ils attaqueront la suite réseautique BackOffice avec un logiciel qu'ils baptiseront du doux nom de Back Orifice en son honneur.

Lorsque les membres du groupe témoignent devant le Sénat en 1998, la commission leur demande pourquoi ils ne contactent pas directement les compagnies pour leur dévoiler leurs failles ? Leur réponse est laconique et effrayante pour le grand public : « Parce qu'elles ne veulent pas les connaître. »

Les compagnies n'ont pas envie de changer leur façon de faire, parce que ces failles ne leur occasionnent aucunes pertes financières. Elles fonctionnent dans une culture du *patch and pray* (rafistoler et prier). Elles développent et vendent des logiciels, et si un jour un système est malencontreusement piraté (si des données sont perdues, si des numéros de cartes de crédit sont volés), ce ne sera pas leur problème, mais celui de leurs clients.

L0pht Heavy Industries prévient le Sénat des États-Unis que si on ne responsabilise pas l'État et les entreprises, on court au désastre : les attaques vont se multiplier et paralyser le Web.

Les événements vont leur donner raison quelques mois plus tard. En effet, en mai 2000, le ver informatique I love you (voir référence) exploite une faille de Microsoft Outlook et infeste près de 10 % du parc informatique mondial (dont le Parlement américain et le Pentagone [département de la Défense]). S'en est suivie une longue liste de virus et de logiciels malveillants: Pikachu, Flame et plus récemment WannaCry, qui a exploité une faille de Windows XP et a atteint, entre autres, le groupe de télécommunications Vodafone, la compagnie de transport international FedEx, le constructeur automobile français Renault, la multinationale espagnole de télécommunications Telefónica, le système de la santé publique du Royaume-Uni, le ministère de l'Intérieur russe ou encore l'entreprise ferroviaire publique allemande Deutsche Bahn.

Un article du *New York Times* de 1999 a comparé les membres de L0pht Heavy Industries à l'avocat Ralph Nader, qui avait révélé les failles de la sécurité du géant General Motors (et forcé l'État à réformer la sécurité automobile). Les membres de L0pht Heavy Industries vont, eux, forcer l'État à réformer sa sécurité informatique.

Cris Thomas (également connu sous le nom de Space Rogue, ancien membre de L0pht Heavy Industries, expliquera en 2016 au *Washington Post* que 20 ans plus tard, rien n'a véritablement changé en la matière, et que le gouvernement n'a aucune volonté de durcir la réglementation pour protéger le consommateur, par peur de freiner l'innovation.

LANCEUR D'ALERTE

Un lanceur d'alerte est un individu qui divulgue des informations confidentielles afin d'alerter l'opinion publique sur une situation qu'il juge problématique. Edward Snowden (voir *Snowden, Edward*) figure parmi les plus célèbres lanceurs d'alerte des dernières décennies.

LICORNE

Une licorne est une jeune pousse dont la valeur estimée dépasse la barre symbolique du milliard de dollars américains avant même son entrée en Bourse. Ce terme est apparu pour la première fois en 2013, sous la plume de l'analyste américaine Aileen Lee.

LIKE (génération)

Dans sa série *Grandes figures*, la maison québécoise Les Éditeurs réunis publie, entre autres, une œuvre qui traite de Madeleine de Verchères (une héroïne de l'histoire de la Nouvelle-France, seigneuresse et ardente nationaliste canadienne-française), un essai sur La Bolduc, un autre sur The Beatles, ainsi qu'un livre consacré à Nelly Arcan.

Mais on trouve aussi dans cette collection un ouvrage de Noémie Dufresne, ou plutôt une autobiographie écrite au « je » par un tiers, en quelque sorte. Le bouquin s'intitule *Noémie Dufresne, un Like à la fois*. Mais qui est donc cette Noémie Dufresne pour figurer parmi ces personnalités historiques plus grandes que nature ?

Son livre est un candide bréviaire relatant la difficile quête vers l'Everest de la reconnaissance sociale, l'Himalaya de la dopamine, la « molécule du plaisir » : la pluie de *likes* (« J'aime »). Un peu comme pour son idole Kylie Jenner, connue parce qu'elle est connue, la vie de Noémie Dufresne est un long *selfie*, *L'Hommage à Rosa Luxemburg* (l'œuvre monumentale de Jean-Paul Riopelle) du petit peuple, suivi par 170 000 personnes sur

Instagram et 1,1 million sur Facebook. Un destin admiré par certains, méprisé par d'autres — des jugements dont elle a appris, dit-elle, à se « balancer », parce qu'elle a connu la gloire. Au moment de la rédaction de son livre, alors qu'elle n'a que 19 ans, elle fait ajouter à sa biographie, en incipit : « Qui aurait pu prédire qu'un jour [...] je figurerais parmi les personnalités les plus populaires et les plus influentes de ma génération ? » Qui, en effet ?

Il y a quelques années, Bret Taylor, le créateur du bouton « J'aime » sur Facebook, avait expliqué comment son équipe avait résisté à l'envie de mettre en ligne, en même temps que la désormais célèbre fonctionnalité, un bouton « Je n'aime pas ». « J'avais l'impression, disait-il dans une entrevue accordée à la publication en ligne *TechRadar* en 2014, qu'un bouton "Je n'aime pas" finirait par créer socialement un paquet de choses négatives. » Et de souligner que « si vous voulez signaler que vous n'aimez pas quelque chose, il vaut mieux écrire un commentaire, parce qu'il y a probablement un mot pour exprimer ce que vous voulez dire. Je ne dis pas que le bouton « J'aime » n'est pas problématique, mais ce serait encore plus complexe si on y ajoutait un sentiment comme celui signalant notre désapprobation. [...] Lorsque nous devons jauger de notre moralité dans des situations sociales, nous devons parfois nous en remettre à la sagesse de nos parents, qui nous disaient : "Si tu ne peux pas dire quelque chose de gentil, ne dis rien." »

Mais est-il pour autant sain de suivre une star du Web ou d'aspirer à en devenir une ?

Lorsqu'on étudie la littérature scientifique qui traite des effets des réseaux sociaux sur la santé mentale des jeunes, on se demande si l'absence du bouton « Je n'aime pas » a vraiment contribué à rendre leur vie en ligne plus saine.

En 2013, une étude réalisée conjointement par le Human-Computer Interaction Institute de la School of Computer Science de la Carnegie Mellon University à Pittsburgh et par un chercheur de Facebook a démontré que les utilisations que nous faisons des réseaux sociaux sont multiples. Ainsi, une consommation passive des publications de nos amis pourrait être à l'origine de sentiments de solitude, voire de dépression. Mais sur Facebook, nous avons toujours la possibilité de « moduler » notre communication. Ainsi, un utilisateur peut toujours décider de publier un article qui lui tient à cœur, en mettant l'accent sur la discussion et l'ouverture. Les études le démontrent aussi d'ailleurs : une section commentaires où l'on sent la présence du modérateur est toujours plus enrichissante que celle qu'on laisse en friche.

Instagram serait, selon certains chercheurs, un réseau beaucoup plus passif et néfaste que Facebook, parce que davantage axé sur l'instantanéité de l'image. Les études à propos des aspects négatifs des réseaux sociaux sur la santé mentale des jeunes filles (principales utilisatrices d'Instagram) sont d'ailleurs de plus en plus nombreuses. Le problème, c'est l'image. Hanna Krasnova, chercheure à l'université de Humboldt à Berlin, coauteure d'une étude sur Facebook et la jalousie, soulignait ceci en 2013 dans le magazine *Slate* : « Avec une photo, on reçoit des signes plus explicites et implicites du bonheur, de la richesse ou du succès des gens qu'avec un statut. [...] Une photo a le pouvoir de provoquer immédiatement une comparaison sociale, et cela peut déclencher des sentiments d'infériorité. Difficile d'envier un article de journal. » Pour Hanna Krasnova, la mécanique infernale instaurée par la toute-puissance de la photo a un nom : la « spirale de l'envie ». « Quand on voit de belles photos d'un ami sur Instagram, pour compenser, on est tenté de publier des photos de nous encore meilleures, comme ça, notre ami les voit et publie à son tour des photos encore plus belles, etc. L'autopromotion déclenche encore plus d'autopromotion, et le monde des réseaux sociaux s'éloigne de plus en plus de la réalité. »

En 2014, une autre étude menée sur près de 2000 jeunes âgés de 19 à 32 ans par le centre de recherche et d'étude sur les médias de l'université de Pittsburgh soulignait que les risques de dépression et de troubles anxieux étaient jusqu'à trois fois plus élevés chez les individus qui utilisaient plusieurs plateformes de réseaux sociaux, que chez ceux qui en utilisaient une seule.

Plus près de chez nous, Véronique Bohbot, chercheure en neuroscience et professeure à l'Institut universitaire de santé mentale Douglas de l'université McGill, souligne que ce qui rend notamment les réseaux sociaux si addictifs, c'est qu'ils savent jouer avec un des nombreux talons d'Achille de notre cerveau : le circuit de la récompense. À long terme, la surstimulation des noyaux caudés, des structures impliquées dans le circuit de la récompense, atrophie une autre structure du cerveau, impliquée, elle, dans la mémoire : l'hippocampe. Des études très concluantes établissent par ailleurs des liens de plus en plus évidents entre la surstimulation des noyaux caudés et certaines maladies dégénératives du cerveau, comme la maladie d'Alzheimer.

En résumé, selon la science, les réseaux sociaux, lorsqu'ils sont utilisés sans balises dès le plus jeune âge, peuvent générer des frustrations, de la solitude, de la dépression et de l'anxiété, en plus de contribuer, par le truchement de la trop grande stimulation du circuit de la récompense, à de nombreux troubles qui apparaîtront plus tard dans l'existence.

Tout ça pour regarder, ou aspirer à devenir une star du Web comme Noémie Dufresne ? « Je soupire, sabotant du coup les efforts de la maquilleuse pour tracer sur ma paupière droite une ligne de crayon noir. Je tente de contenir ma colère, mais devant l'air amusé de mon agent, j'explose. Je me lève et balaie, d'un geste brusque de la main, tout ce qui se trouve sur le plan de travail de la maquilleuse. Ne peut-il donc pas me laisser tranquille cinq minutes ? [...] Quand comprendra-t-il donc que c'est MOI, la star ? Que sans moi, il n'est rien ? Après m'avoir écoutée, les yeux rivés au sol, il sort de la pièce. Reprenant un air impassible, je fais signe à la maquilleuse de s'activer. Après tout, je n'ai pas toute la journée ! »

LINKEDIN

LinkedIn est un site de réseautage professionnel et de développement d'affaires, qui compte 400 millions d'utilisateurs à travers le monde. Il a été acheté en 2017 par Microsoft pour 26 milliards de dollars américains.

L'humour d'un dessin du magazine américain *The New Yorker*, réside dans sa légende. D'ailleurs, chaque semaine, un concours est organisé sur le site Web du média afin de trouver la légende qui convient le mieux au dessin qui sera publié. Le gagnant du concours voit sa suggestion s'afficher sous le dessin dans les pages Web du journal, gloire suprême.

Un héros obscur de l'Internet, Frank Chimero, a réalisé dernièrement un tour de force : il a trouvé la légende universelle, celle que l'on peut appliquer à tous les dessins du *New Yorker* : « J'aimerais vous inviter à rejoindre mon réseau LinkedIn. »

Cette phrase est le message envoyé par défaut par LinkedIn à tout « contact » que vous essayez d'ajouter à votre « réseau ».

Cette légende universelle est particulièrement drôle, parce qu'elle témoigne du côté souvent caricatural du réseau professionnel. Ce n'est pas autant la forme de LinkedIn qui dérange, que les contenus véhiculés, politiquement corrects et calqués sur les discours de motivateurs et d'autres professionnels du développement humain. La contradiction, le débat et la controverse y sont systématiquement évacués. Les seuls commentaires socialement acceptés sont « Merci pour cet article inspirant » (tout est inspirant sur LinkedIn) et « Félicitations pour ton nouveau poste ».

Sur LinkedIn, on partage surtout des articles écrits par des influenceurs (voir référence) de différentes industries, qui ne prêtent jamais le flanc à la critique. On y souligne immanquablement les valeurs quasi humanistes de collaboration, d'écoute, de générosité, de respect mutuel en entreprise. Dirigeants et dirigés grandissent ensemble. Le travail est toujours vécu comme une passion, comme en témoigne le champ lexical utilisé, qui fait état d'employés « mobilisés », « impliqués », « épanouis », « enrichis », à condition d'être « flexibles », « inventifs » et « polyvalents ». La compétition est toujours saine, voire stimulante. Le tout, rédigé dans un jargon ésotérique, avec des définitions de poste plutôt baroques : « ninja des médias sociaux », « gourou du Web », « évangéliste numérique », « *scrums master* », etc. C'est le même principe qu'en art contemporain ou que dans le conte *Les Habits neufs de l'empereur* d'Hans Christian Andersen. Pour ne pas sembler idiots aux yeux de leurs éventuels futurs employeurs, les internautes ne remettent pas en question ces termes qu'ils ne comprennent pas. Il n'y a pas de débat.

Sur LinkedIn, on partage aussi des citations inspirantes issues de la littérature du développement personnel, rayon le plus rentable des librairies depuis les années 1950. « Les leaders ne créent pas des suiveurs, ils créent des leaders », « Si vos rêves ne vous effraient pas, c'est qu'ils ne sont pas assez grands », « Allez vite, cassez des affaires, si vous ne cassez rien c'est que vous n'allez pas assez vite » – Mark Zuckerberg (traduction libre).

On y trouve également un florilège de citations sur le sens du travail : « Choisis un travail qui te plaît et tu ne travailleras jamais de ta vie », « Si aujourd'hui était le dernier jour de votre vie, feriez-vous le travail que vous êtes en train de faire ? » – Steve Jobs (bien évidemment). Sur Twitter, plusieurs comptes satiriques se sont emparés de ces citations pour en faire ressortir le côté absurde, comme *Disruptive humans of Linkedin* et *The State of LinkedIn*.

Ces citations inspirantes aident à donner un sens au travail, chose qui est loin d'être évidente pour tous les salariés. Albert Camus l'avait bien montré dans son essai *Le Mythe de Sisyphe* : le travail est une situation absurde et répétitive, se lever tous les matins, accomplir une tâche répétitive et recommencer la même le lendemain. Pour la plupart d'entre nous, c'est d'abord cela le travail, ce n'est pas devenir le prochain Steve Jobs.

Mais LinkedIn tente de nous faire croire que nous sommes tous des Steve Jobs en puissance. Cette idée repose sur l'idéologie du capital humain et de la marque personnelle, issue du monde de la gestion et de la littérature du marketing et du développement personnel.

Dans les années 1960, ces théories ont réussi à faire imposer l'idée selon laquelle l'individu est un capital qu'il faut faire fructifier en étant toujours créatif, inventif, « en pensant en dehors de la boîte » (le fameux *Think different* d'Apple), mais avec comme objectif d'être toujours productif et performant.

Dans les années 1990, Tom Peters (auteur du livre *Le prix de l'excellence*) invente l'idée de marque personnelle dans un article du magazine d'affaires américain *Fast Company*. « Dans un monde individualiste et une économie libéralisée, écrit-il, les travailleurs n'ont pas d'autres choix que de devenir des "agents libres", des petites entreprises. Ils doivent donc développer leur propre marque et se vendre comme tel. Et, si je suis une marque, je dois me tenir le plus loin possible de toute controverse. Dans LinkedIn, il n'y a donc pas de débat, parce que nous nous comportons comme des marques : nous sommes dans la gestion de notre réputation, nous cherchons à penser différemment tout en étant les plus conformistes possible. »

LOGICIEL LIBRE

Depuis 1985, la Free Software Foundation, un organisme à but non lucratif fondé par le programmeur Richard Stallman, milite pour la promotion du logiciel informatique libre et la défense des utilisateurs.

Le logiciel libre n'est pas seulement gratuit, il est aussi accessible à tous, c'est-à-dire que les utilisateurs peuvent voir sous son capot : s'ils maîtrisent la programmation, ils peuvent comprendre comment le logiciel est programmé, lire le code qui sous-tend le produit informatique, et même le modifier.

LOLCAT

S'il y a bien un endroit où les chats sont rois, c'est sur Internet, particulièrement grâce aux *LOLcats*, un terme apparu en 2007 sur le forum 4chan (voir référence). *LOLcat* est un mot créé à partir des termes « LOL » et « cat » : « LOL », trois lettres qui sont devenues progressivement le synonyme international de l'humour sur Internet, signifie bien sûr *laughing out loud*, « mort de rire » ou MDR, et « cat », pour ceux qui n'ont jamais fait d'anglais, signifie chat. Le mot est francisé en « LOL chat » ou « LOLchat ».

Les *LOLcats* font partie de l'écosystème d'Internet. Ce sont des mèmes Internet (voir référence), c'est-à-dire des phénomènes culturels propres au Web, qui se propagent de manière virale à travers les réseaux sociaux et les forums de partage d'images. Les mèmes Internet sont généralement des images drôles agrémentées d'un commentaire, qui ne dépassent jamais les frontières du réseau.

Les agences de pub ont bien compris l'intérêt de ce petit félin et elles n'hésitent pas à l'utiliser pour véhiculer leurs messages. Le phénomène a même donné naissance à un terme consacré : c'est ce qu'on appelle le *catvertising*.

L'histoire d'amour entre les internautes et les chats est telle qu'entre 2012 et 2015, le musée Walker Art Center de Minneapolis a tenu quatre festivals consacrés aux vidéos de chats d'Internet.

LOVELACE, ADA

Augusta Ada King-Noel, comtesse de Lovelace (dite Ada Lovelace) est considérée, avec son mentor, le mathématicien Charles Babbage, comme la mère de l'informatique et des algorithmes.

Hormis dans son union avec un mari violent, la mère d'Ada Lovelace, Anne Isabelle Noel Byron (appelée Lady Byron), a eu de la chance. Il en fallait pour naître femme en 1792 au sein d'une famille assez riche et assez libérale pour vous donner la meilleure éducation, prodiguée notamment par un homme aux idées radicales : William Frend. Par idées radicales, nous entendons « idées radicales pour un homme vivant à la fin du XVIIIᵉ siècle », par exemple, ne pas reconnaître l'autorité de l'Église d'Angleterre.

Très jeune, Lady Byron développe des aptitudes en sciences. On dit qu'elle était non seulement très douée, mais qu'en plus, elle ne se cachait pas pour le montrer. Cependant, elle avait également la réputation d'être austère et réservée. Et ce serait précisément cette rigidité qui aurait aguiché Lord Byron, peu habitué à voir des femmes lui résister. Après un mariage confidentiel et une union brève et houleuse, Lady Byron donne naissance à Ada le 10 décembre 1815. Ce sera la seule fille légitime du poète.

Lord Byron est un père absent et un mari ignoble. Après avoir entretenu une liaison avec sa demi-sœur, dont il était éperdument amoureux, il a tenté à plusieurs reprises de violer sa femme. Les agissements de son mari poussent cette dernière à demander le divorce quelques semaines après la naissance de leur fille. Lady Byron quitte la maison familiale et emmène Ada, qui ne verra plus jamais son père. Lady Byron meurt moins de 10 ans plus tard en Grèce.

Pour Lady Byron, il existe un lien évident entre littérature, alcoolisme et vie dissolue, et elle s'organise donc pour tenir sa fille loin des artistes et pour la diriger vers les sciences. Ada se révèle aussi douée que sa mère. À 17 ans, elle fait la connaissance du mathématicien Charles Babbage, qui prend rapidement la place du père absent. Cette rencontre la stimule au plus haut point. Toutefois, peu de temps après, la jeune femme se marie, et donne naissance coup sur coup à trois enfants, ce qui l'oblige à mettre de côté son intérêt pour les mathématiques, auxquelles elle reviendra 10 ans plus tard.

À la fin des années 1820, Charles Babbage travaille sur un projet aux limites de la science fondamentale et des applications pratiques, qu'on pourrait comparer aux grands programmes de la Defense Advanced Research Projects Agency (DARPA), la branche de recherche du Pentagone, née 140 ans plus tard. Le gouvernement britannique soutient à cette époque des projets voués à faire disparaître les erreurs dans les tables de multiplications, instruments alors essentiels pour le développement scientifique, notamment pour la navigation, un secteur clé pour l'Empire britannique. À bien y penser, le slogan « *data is the new oil* (les données sont le nouveau pétrole) » ne date pas d'hier.

En Angleterre, les femmes sont actives dans le domaine scientifique dès le XVIIIᵉ siècle, avant la reconnaissance de la profession. Il existe même des revues scientifiques féminines comme *The Ladies' Diary*, dans lesquelles on trouve notamment des exercices mathématiques. En France, les sciences sont à la mode dans les salons des marquises et des baronnes, dont celui de Marguerite Hessein, dame de la Sablière, qui adore l'astronomie. Salons qui seront fermés par les dévots de la Révolution française.

Charles Babbage et son associé Joseph Clement voulaient éliminer les erreurs de calcul en automatisant les opérations. L'idée était donc de remplacer l'intervention humaine par des machines. L'équipe de Babbage a conçu des monstres mécaniques appelés « machines à différences » (« *difference engines* ») et « machines analytiques ». Pour diverses raisons, ces machines n'ont jamais vu le jour, mais elles préfiguraient les ordinateurs.

Les concepts, prototypes et croquis de ces machines, constituées de tiges de cuivre et de roues dentées imbriquées dans des mécanismes aussi complexes qu'élégants, ont fait le bonheur d'auteurs de science-fiction d'obédience *steampunk*, dont l'écrivain américain William Gibson. Dans son magistral ouvrage *The Difference Engine* (*La machine à différences*), l'auteur met en scène une Angleterre victorienne envahie d'ordinateurs

« Je produirai
une poésie
mathématique
plus
philosophique
et de nature
plus élevée
que celle
que nous
connaissons. »

— Ada Lovelace

primitifs. Le jeu vidéo et le cinéma s'empareront aussi de cet univers dans des productions telles que *Dishonored*, *BioShock*, ou encore le très beau *La cité des enfants perdus* réalisé par Jean-Pierre Jeunet et Marc Caro (1995).

En 1834, Babbage imagine la « machine analytique » : une grande calculatrice universelle programmable grâce à l'utilisation de cartes perforées. Avec une nouveauté : la distinction entre l'unité de calcul et l'unité de mémoire. Mais le scientifique est trop en avance sur son temps et le projet ne verra jamais le jour. On reconnaît néanmoins Babbage comme l'idéateur du premier ordinateur, concept qui ne verra finalement et péniblement le jour qu'un siècle plus tard. Rétrospectivement, imaginer que des scientifiques tentaient de concevoir les prototypes d'ordinateurs au moment où Chopin était en pleine gloire, où le Québec s'appelait encore Bas-Canada et où Louis Pasteur avait à peine 10 ans, donne une meilleure idée de l'avant-gardisme de la chose.

Ada Lovelace adorait travailler avec Babbage, car cela lui permettait de faire le lien entre les chiffres qu'elle vénérait et l'héritage artistique d'un père qu'elle admirait, malgré tout (elle sera, à sa demande, enterrée à ses côtés). Elle écrit : « Je produirai une poésie mathématique plus philosophique et de nature plus élevée que celle que nous connaissons. Y a-t-il des vérités qui ne peuvent être obtenues que par l'analyse mathématique et pas autrement ? Est-ce que toutes les expressions mathématiques abstraites représentent quelque chose de réel ? Mon travail mathématique implique une imagination considérable. Si considérable que si je le poursuis, je deviendrai à coup sûr poète. »

Étant donné qu'aujourd'hui encore, quantité d'hommes considèrent que les femmes ne sont pas biologiquement conçues pour étudier les sciences — à l'image de James Damore, ex-ingénieur de Google renvoyé pour mysoginie après avoir rédigé une note interne en forme de pamphlet où il exprimait ses idées sur la question —, on imagine aisément les préjugés auxquels Ada Lovelace a dû faire face, sachant qu'à l'époque, on croyait dur comme fer que l'étude des sciences rendait les femmes malades.

Chez Babbage, Lovelace croise Charles Dickens ou encore Charles Darwin. Elle est sûre d'elle et n'a pas peur de s'affirmer dans ce milieu stimulant. Plus encore, contrairement à son patron, Ada Lovelace a l'audace de croire que les algorithmes sur lesquels elle travaille auront des implications beaucoup plus profondes que les simples calculs.

MACHINE À VOTER

Le 22 octobre 2016, lors d'un passage à l'émission *La sphère*, sur les ondes d'ICI Radio-Canada Première, le consultant en cybersécurité Greg Sadetsky s'était fait demander si, selon lui, un crayon de plomb et un bout de papier permettent de voter de manière plus sécuritaire qu'une machine électronique. Il avait acquiescé. Trois ans plus tard, la plupart des analystes affirment encore la même chose.

MAFIABOY

C'est le pseudonyme sous lequel, au tournant des années 2000, Michael Calce, un adolescent originaire de l'Île-Bizard, dans la région de Montréal, a attiré l'attention du monde entier, pour avoir lancé une série d'attaques de déni de service (voir *DDOS*) contre des sites Internet connus.

Ses cibles étaient de gros joueurs du Web de l'époque : Yahoo, Amazon, Dell, eBay, CNN. Les frasques de l'adolescent alors âgé de 15 ans ont défrayé la chronique, les pertes engendrées par ses attaques causant des dommages importants, et il sera arrêté par la GRC en avril 2000.

En 2008, Michael Calce publie une autobiographie dans laquelle il relate ses incartades de jeunesse. Depuis 2016, il est président d'Optimal Secure, une entreprise de sécurité informatique.

MAMANS

Les réseaux sociaux ont participé d'un changement de paradigme dans la manière dont les parents entrent en contact avec d'autres parents.

« Est-il normal que j'aie eu envie de photographier le premier pipi sur le pot de mon enfant ? », « J'hésite à utiliser une technique d'entraînement au sommeil pour mon bébé, qu'en pensez-vous ? » : que ce soit sur des groupes privés ou sur des groupes publics, toutes les questions peuvent trouver leur place. Les réseaux sociaux, les blogues personnels ou les sites Internet consacrés à la parentalité ont permis aux papas et aux mamans contemporains de multiplier les occasions de partager leurs expériences, et de les comparer à celles des autres.

Sur Instagram notamment, les comptes ultra populaires de mères sont légion. Cependant, une question revient toujours au sujet de cet engouement collectif pour le quotidien de ses semblables : peut-on choisir de ne montrer que le beau, de ne partager que les douceurs du quotidien en reniant les défis inhérents à la parentalité ou, au contraire, a-t-on un devoir de transparence, de représentation sincère des réalités familiales ? Les variantes qui animent ce débat sont aussi nombreuses que récurrentes. À tel point que le très sérieux *New York Times* demandait, fin 2017 « Où sont toutes les *nannies* d'Instagram ? », mettant en relief le paradoxe entre l'explosion de *snaps* et autres *stories* d'Instagram, et l'absence quasi totale de représentation des aides familiales dans ces images.

MÈME INTERNET

Les images et vidéos de l'arc-en-ciel double (*double rainbow*), de la Grumpy Cat ou de *Gangnam Style* sont tous des éléments de culture populaire devenus des mèmes Internet, c'est-à-dire des éléments de la culture Web qui se déclinent (presque) à l'infini. Le journal français *Le Monde* parle aussi de « l'art du détournement humoristique ».

Ils sont toujours plus nombreux. On les utilise pour s'exprimer ou pour commenter des publications sur les réseaux sociaux. Ils deviennent des références communes. Souvent issus de l'ironie ou de la moquerie, ils peuvent aussi être porteurs d'une forme de critique sociale.

MICROSOFT

L'entreprise fondée par Bill Gates et Paul Allen (voir *Allen, Paul*) en 1975 est bercée par le rêve de fabriquer un ordinateur personnel accessible à tous.

Microsoft remporte — devant Google et Apple — la palme des géants technologiques ayant racheté le plus d'entreprises (35 au total).

À ses débuts, la compagnie se concentre sur la programmation de logiciels alors qu'Apple, fondée en 1976, conçoit des ordinateurs. Mais en 1981,

Microsoft lance ses premiers ordinateurs personnels, et la collaboration entre les deux entreprises fait place à une bataille amère, qui évolue à grands coups de poursuites judiciaires.

Après une quinzaine d'années très acrimonieuses — durant lesquelles les tribunaux et la loi anti-trust malmènent la domination de Microsoft — les deux entreprises enterrent la hache de guerre lorsque Microsoft sauve Apple de la faillite. Pourquoi Microsoft a-t-elle sauvé sa rivale ? Parce que, ce faisant, elle mettait fin à son image de « méchant monopole ».

MILHON, JUDITH

De son nom de naissance Judith Milhon, Jude Milhon est aussi connue sous le pseudonyme de St. Jude. C'est une pionnière de l'informatique moderne, une hackeuse et une cyberféministe, née en 1939 et décédée d'un cancer en 2003, à l'âge de 64 ans.

Elle commence à programmer en 1967. Portée par la mouvance hippie à Berkeley (Californie), elle encourage les femmes à s'intéresser à la cyber-culture émergente. Des décennies plus tard, elle tient encore le même discours en déclarant « *Girls need modems !* » (les femmes ont besoin de modems), et en vantant les mérites de la cybersexualité, notamment dans son livre en ligne *The Joy of Hacker Sex*.

Décrivant le *hacking* comme un « art martial », elle met ses habiletés informatiques au service de ses valeurs de gauche.

Elle fait partie des membres fondateurs du groupe *cypherpunks* (voir référence), dont elle a aussi trouvé le nom.

MINAGE

Le terme « minage » est une métaphore empruntée au monde physique, qui désigne le mécanisme de création des bitcoins. Un « mineur » est un individu qui utilise son parc informatif pour effectuer des « preuves de calcul » afin d'être rétribué en bitcoins.

Le bitcoin repose sur un principe révolutionnaire : se passer des banques (instance de confiance dans l'échange). Pour remplacer les banques, le bitcoin s'appuie sur la *blockchain* (voir référence). Cette technologie s'apparente à un grand livre de comptes ouvert, public et transparent.

Pour valider les échanges de bitcoins dans ce livre, le système demande à son réseau d'effectuer une « preuve de travail ». Elle consiste à imposer à tous les ordinateurs du réseau d'effectuer un calcul mathématique très élaboré toutes les 10 minutes. La résolution de cette énigme nécessite des milliards de tentatives aléatoires, et donc beaucoup de puissance de calcul. En échange, le système offre des bitcoins au premier ordinateur qui trouve la bonne solution.

Cette barrière physique rend la *blockchain* inviolable depuis maintenant presque 10 ans — mais c'est aussi ce qui représente le plus grand frein au développement de la technologie *blockchain*. La mettre en place dans toutes nos transactions serait excessivement énergivore, voire impossible.

À ce sujet, un paiement en bitcoins est 4000 fois plus énergivore qu'un paiement par carte de crédit. Chaque transaction en bitcoins (on en compte 300 000 par jour) représente l'équivalent de l'alimentation en électricité de 25 foyers québécois pendant une journée. On estime que la totalité de l'activité des bitcoins sur la planète consomme autant d'électricité que la Hongrie au grand complet.

MIT

Depuis sa fondation en 1861, le célèbre institut de technologie situé à Cambridge, dans l'État du Massachusetts, a été le théâtre de nombreuses innovations, allant du GPS au WWW. Parmi ses professeurs les plus illustres, on peut citer l'informaticien Tim Berners-Lee (voir *CERN*) et le linguiste Noam Chomsky.

Les traditions *geeks* de la célèbre université américaine sont nombreuses. Il y a par exemple le Friday After Thanksgiving (F.A.T.) Chain Reaction, un événement d'ingénierie lors duquel des étudiants créent d'énormes réactions en chaîne et la *MIT* Mystery Hunt, une compétition impliquant de nombreux casse-têtes. Et ces traditions à haute tendance *nerd* débutent dès le jour même de l'admission des étudiants : en effet, la coutume veut que l'institut rende sa décision aux candidats le 14 mars (3/14), la journée de pi (π), la journée qui célèbre la constante mathématique du même nom (3.1416).

En 2017,
au Canada,
51 % du trafic
en ligne était
effectué sur
un téléphone

MOBILITÉ

Nous passons toujours plus de temps sur nos téléphones intelligents. D'après la compagnie de mesure et d'analyse des médias ComScore, en 2017, au Canada, 51 % du trafic en ligne était effectué sur un téléphone (ou une tablette), contre 49 % sur un ordinateur.

Dans ce contexte, toutes les organisations sont un jour confrontées à la même question : vaut-il mieux choisir une application Web ou une application native ? Ce débat récurrent, aussi vieux que l'iTunes App Store, a pris récemment une nouvelle tournure.

Dans la biographie qu'il consacre à Steve Jobs, Walter Isaacson raconte que, lorsqu'il lance l'iPhone en 2007, le grand manitou de Cupertino est opposé aux applications tierces (le premier iPhone était une plate-forme fermée, sans environnement de développement). La solution ? Des applications Web fonctionnant sur Safari.

Devant le succès du premier iPhone et la perspective pécuniaire que représente le marché des applications, Steve Jobs change d'avis. En octobre de la même année, il annonce la sortie d'un kit de développement logiciel pour l'iPhone. En juillet 2008, l'App Store est né, et avec lui le débat entre les applications natives et les sites Web mobiles.

L'expression « *There is an app for that* » décrit bien la tendance dominante entre 2008 et 2012 : pour chaque problème, chaque offre ou chaque modèle d'affaires, il existe une application visant à répondre à une tâche. Le modèle de distribution centralisé via des magasins comme iTunes App Store ou Google Play permet à Apple et à Google d'amasser des sommes considérables, et de créer un écosystème infini. Les applications natives sont privilégiées pour plusieurs raisons : elles sont rapides, exploitent les fonctionnalités du mobile (gyroscope, appareil photo, alerte) et ont peu de concurrence (les sites mobiles ou *m.site* accumulent les désagréments : ils sont lents, compliqués à gérer, et finalement peu efficaces).

Le développement du HTML5 va freiner la logique du tout applicatif, avec des solutions flexibles, moins dispendieuses et accessibles sur tous les navigateurs, quelle que soit la plateforme mobile. De plus, HTML5 permet d'utiliser certaines fonctionnalités du téléphone, notamment la géolocalisation.

Aujourd'hui, le marché applicatif est à la croisée des chemins : même si 85 % du temps passé sur un appareil mobile l'est sur des applications, seules cinq d'entre elles sont véritablement utilisées (les messageries, les réseaux sociaux et les jeux). Paradoxalement, la multiplication exponentielle du nombre d'applications a nui à la santé de l'écosystème applicatif : il est aujourd'hui très difficile de faire connaître son application et de la faire télécharger. Malgré des avancées en matière de *deep linking* (lien profond) et d'indexation, la découverte du contenu dans les applications reste problématique. Selon ComScore, les deux tiers des mobinautes américains n'ont téléchargé aucune application le mois précédant la sortie de l'étude.

Que cherche le grand public aujourd'hui ? Des applications qui n'ont pas besoin d'être installées, qui sont neutres en termes de plateforme, et dont le contenu peut facilement être indexé par les moteurs de recherche.

Un des ingénieurs de Google, Alex Russel, a présenté une piste de solution sérieuse en juin 2015 : les *progressive web apps*, les applications Web progressives en français, une approche hybride. Ces applications ne seront plus téléchargeables depuis l'App Store, mais seront accessibles depuis un site, et donneront accès à toutes les fonctionnalités des applications mobiles (les notifications, la gestion des connexions hors-ligne, etc.), tout en garantissant ce qui fait la force du Web (les liens hypertextes, les technologies standard, la neutralité).

La meilleure application, c'est celle qu'on a déjà. À cet égard, Facebook comptabilise 1,55 milliard d'utilisateurs actifs, dont 70 % sur des appareils mobiles. Facebook représente désormais 22 % de la totalité du temps passé sur un appareil mobile aux États-Unis. L'entreprise veut capitaliser sur cette domination pour bâtir une superplateforme rassemblant toutes les interactions en ligne, et capable de retenir ses utilisateurs le plus longtemps possible.

Facebook veut ainsi renforcer son rôle de plateforme de découverte et de partage de l'information, en généralisant le format *Instant Article* qui permet de diffuser sur la plateforme des articles optimisés pour le mobile. Google travaille à une solution similaire nommée *Accelerated Mobile Pages*, AMP.

Mais Facebook, c'est aussi Messenger, une application qui réunit 900 millions d'utilisateurs actifs et qui a bien l'intention d'avaler une part du marché applicatif. En 2016, lors du Facebook F8, la conférence annuelle des développeurs de Facebook, le réseau social a annoncé le lancement des *bots*, des intelligences artificielles capables de simuler une conversation humaine, directement intégrées au système de messagerie instantanée. L'objectif des *bots* est de permettre aux utilisateurs de discuter avec des entreprises ou des médias, d'acheter en ligne, de faire des réservations ou des commandes. Pour Mark Zuckerberg, « il doit être aussi facile de dialoguer avec une entreprise qu'avec un ami ».

L'arrivée des *bots* sur Messenger devait chambouler le monde des applications mobiles et réinventer le service à la clientèle. Rappelons que le marché des applications n'a que 11 ans.

Toutefois, un an après le lancement des *bots* dans Messenger, Facebook a dû admettre que les résultats n'étaient pas à la hauteur de ses espérances. Les internautes pensaient pouvoir échanger avec ces *bots* comme avec un être humain. Malgré les effets d'annonce fréquents dans le domaine, les développeurs de Facebook ont bien été obligés de freiner les attentes qu'ils avaient eux-mêmes créées, en expliquant que l'état d'avancement de l'intelligence artificielle ne permettait pas encore un vrai dialogue. Les entreprises se sont mises à construire des « *bots* conversationnels », qui n'étaient en réalité qu'une version mobile et numérique des boîtes vocales d'entreprises, qui trient les appels en demandant aux usagers de faire des choix en appuyant sur des boutons.

MOSAIC

« The 1993 arrival of the first widely popular Web browser, Mosaic, made the Internet an unstoppable cultural and commercial force » souligne le *Washington Post* (L'arrivée en 1993 de Mosaic, le premier navigateur Web populaire, a fait d'Internet une force culturelle et commerciale inarrêtable.)

Le 22 avril 1993, la version 1.0 du tout premier navigateur Internet graphique est dévoilée par une équipe de chercheurs du National Center for Supercomputing Applications (NCSA) de l'université de l'Illinois aux États Unis.

En 1994, il est rebaptisé Mosaic Netscape, avant de devenir Netscape Navigator (voir référence).

Firefox est son digne héritier. Lancé en 2004, le navigateur est élaboré à partir de ce que les anglophones appellent un *kernel*, un noyau, c'est-à-dire un cœur de programmation, un des éléments les plus fondamentaux d'un logiciel informatique. Il est développé par une équipe d'ingénieurs affectée en 1999 au lancement du projet Open Source — à la suite du rachat de la *start-up* par AOL un an plus tôt.

De 1993 à 1995, Netscape Navigator, qui n'affiche alors aucun concurrent sérieux, est de loin le navigateur le plus utilisé : il enregistre jusqu'à 80 % des parts du marché.

À partir de 1995, l'intégration d'Internet Explorer à Windows marque le début d'un déclin fulgurant au profit de la firme de Redmond (Washington).

MOT DE PASSE

Internet se voulait un immense espace de liberté, et nous n'avons jamais eu autant besoin de mots de passe pour y accéder.

En 1960, le Massachusetts Institute of Technology (MIT) (voir référence) donne à ses chercheurs accès à un des premiers systèmes d'exploitation à temps partagé. L'ingénieur en informatique Fernando Corbató avance alors l'idée des mots de passe, afin de pouvoir y sauvegarder des documents de nature confidentielle. Les chercheurs ont ainsi accès à leurs fichiers pour un maximum de quatre heures par semaine.

À compter des années 1990, avec la démocratisation d'Internet, les mots de passe deviennent de plus en plus présents dans la vie des internautes.

Dans les années 2010, les exigences de différents sites sont de plus en plus élevées : les mots de passe doivent être composés de majuscules, de chiffres, de caractères spéciaux. Pourtant, comme le résume habilement la célèbre bande dessinée en ligne *xkcd* : « On crée ainsi des mots de passe difficiles à retenir pour des humains, mais faciles à deviner pour des ordinateurs ». Selon plusieurs experts, une succession de mots assemblés au hasard constituerait un mot de passe beaucoup plus sécuritaire qu'un mot de passe contenant des symboles et des chiffres.

MOT-CLIC (hashtag)

Quand il regarde la soirée des élections ou son émission favorite en direct à la télévision, le téléspectateur du XXIe siècle veut connaître les réactions de ses amis et de ses semblables à un moment précis. Pour ce faire, il lui suffit de prendre son téléphone cellulaire et d'effectuer une recherche sur son réseau social préféré, à l'aide du mot-clic approprié. Il pourra alors visualiser les commentaires en temps réel. La même opération peut aussi se faire après l'émission (sans le plaisir du temps réel).

Un mot-clic permet aussi à des individus qui ne se connaissent pas d'avoir une conversation alors qu'ils se trouvent en des lieux différents. Il leur suffit de créer un mot-clic et de l'insérer dans leur publication pour que tous les interlocuteurs puissent suivre la conversation. Dans le même ordre d'idées, le mot-clic permet de rassembler les personnes qui s'intéressent à la même cause : c'est ainsi que le mot-clic #MeToo a permis de repérer et de regrouper les propos des victimes de violence sexuelle qui ne se connaissaient pas et sortaient de l'anonymat.

Le mot-clic est donc un mot-clé permettant de repérer facilement ce qui s'écrit sur un sujet donné dans un réseau social. Qu'il s'agisse des élections au Québec (#electionsquebec) et en Ontario (#electionsON) ou de *La Voix* (#lavoix), les mots-clics débutent tous par l'indispensable croisillon (#), dans lequel les musiciens voient un dièse. On ne peut pas leur donner tort, puisqu'en France, la Commission d'enrichissement de la langue française recommande d'utiliser le terme « mot-dièse » pour désigner le concept, alors que de nombreux utilisateurs utilisent encore le mot anglais *hashtag*. Les trois exemples donnés plus haut illustrent une autre caractéristique du mot-clic : quand il est formé de plusieurs mots, ces derniers ne sont pas séparés par des espaces.

Au début de Twitter, les mots-clics servaient d'outils pour se repérer dans le bruit de Twitter, mais avec le temps, les *hashtags* sont devenus autre chose. Ils se sont affranchis de leur fonction première pour devenir des outils sémantiques, c'est-à-dire qu'ils servent à donner du sens ou une tonalité à un propos, ils ajoutent de l'humeur, de l'ironie ou du sarcasme.

Admettons, par exemple, qu'un ami publie sur Facebook « Je me suis rasé la barbe #charte ». Ici, le mot-clic #charte vient ajouter un caractère comique à un message assez creux.

On verra aussi des gens écrire #fail pour indiquer que le contenu de leur tweet met en lumière un échec. Exemple : « La stratégie électoraliste du PQ avec sa charte #fail ? » Ou encore, des gens ajoutent #not après une affirmation pour signifier l'ironie. Exemple : « Ça sent la coupe cette année avec le CH #not ».

MOTHER OF ALL DEMOS

Steve Jobs n'est pas mort. Nous sommes en 2020, et le patron d'Apple est en rémission spectaculaire d'un cancer qu'on disait incurable. Il jouit plus que jamais du statut de demi-dieu. Sa silhouette filiforme à l'extrême, qui se perd dans une trop grande chemise à col Mao de lin blanc, sa peau mate et ses traits ciselés par le dantesque orage biochimique dont il émerge lui donnent le look d'un androïde. Derrière lui, on devine sur les écrans sombres et chatoyants les contours d'objets luisants et raffinés encore non identifiés. L'ensemble donne à cette conférence annuelle d'Apple surréaliste, la première où il officie depuis sa résurrection, une solennité que Napoléon n'aurait sûrement pas dédaignée lors de son autocouronnement.

Après des salves d'applaudissements, on sent arriver la fin de l'événement, les ouailles en transe retiennent leur souffle. On attend le désormais célèbre « *one more thing* », et celui-là ne décevra personne. Plus de 20 ans après l'iMac, plus de 10 après l'iPhone, Steve Jobs va réussir un nouveau grand chelem. Premier à se révéler sur les écrans 16k : un bandeau d'aluminium anodisé ultra-léger. On dirait un serre-tête comme ceux que portent les femmes pour retenir leurs cheveux, mais celui-ci entoure le front en couvrant les tempes. Derrière Steve Jobs, on voit des images d'humains parfaits et de toutes les couleurs, qui portent cet accessoire de mode aux pouvoirs, on va l'apprendre, vertigineux.

L'Apple Brain est aussi soufflant que simple, aussi révolutionnaire qu'ostensiblement discret : ces quelques grammes de métal, explique Steve Jobs, sont capables de lire les ondes cérébrales et peuvent servir d'interface pour transcrire directement la pensée dans un programme de traitement de texte (ou dans un texto). Ce bandeau « sciencefiction-nesque » permet également de se brancher directement sur le cerveau de collègues qui en sont également équipés, afin de collaborer plus efficacement lors de réunions. « *You can hear what they are thinking* » (Vous pouvez entendre leurs pensées), explique Jobs. Salve d'applaudissements. L'Apple Brain fait également office de manette pour les jeux vidéo, auxquels on jouera désormais simplement en pensant. Il permet en sus d'améliorer les fonctions cognitives grâce à une application basée sur un procédé de plus en plus populaire : la stimulation intracrânienne.

Sous les vivats, Steve Jobs présente finalement un modèle de lunettes qui donne aux Google Glass des allures d'invention préhistorique : ses iGlasses ont été développées en collaboration avec de grands manufacturiers (Prada, Ralph Lauren, Oakley, Ray-Ban, etc.), et sont offertes avec n'importe quel verre de prescription. Un système miniaturisé, qui projette directement sur les verres des images en réalité mixte, assisté par un mini-ordinateur intégré à l'intérieur des manchons. Elles font office d'écran pour afficher les messages des proches, deviennent opaques pour tenir lieu de lunettes de réalité virtuelle, pour regarder des films ou encore pour servir d'écran de réalité augmentée. Enfin, grâce à la maîtrise de

l'informatique quantique, la célérité des serveurs d'Apple permet le traitement de données à distance si rapidement que les programmes les plus
complexes peuvent rouler directement sur n'importe quelles lunettes
iGlasses grâce au traitement infonuagique. L'informatique personnelle
est entrée dans l'ère de la dématérialisation extrême.

Dans l'amphithéâtre, c'est le délire. La conférence annuelle se termine,
grande nouveauté, sur un air du *Messie* de Haendel, *For unto us a Child is
born*. La messe est dite. La connexion directe entre le nuage et le cerveau
est annoncée par un homme revenu du royaume des morts. L'iTunes de
la télépathie sera bientôt en vente dans l'App Store.

Cinquante-deux ans plus tôt, le 9 décembre 1968, dans un amphithéâtre
du centre-ville de San Francisco situé à une cinquantaine de kilomètres
au nord de l'actuel siège social d'Apple, se tient la Fall Joint Computer
Conference, un rendez-vous des spécialistes de l'informatique organisé
dans diverses villes américaines depuis 1951. Ce jour-là, le public d'initiés
ne s'attend vraiment pas à entendre une présentation révolutionnaire.
D'autant que le scientifique annoncé, Douglas Engelbart, ne recueille
alors que peu d'éloges. Il n'est pas une star. On le voit tantôt comme
un doux rêveur, tantôt comme un fou. Mais cela n'empêchera pas les
spécialistes, plusieurs années plus tard, de nommer cette présentation
d'une petite heure et demie « *The Mother of All Demos* », la mère de
toutes les démos.

Pourtant, même si personne ne l'attend, en 1968, Douglas Engelbart a
déjà une feuille de route impressionnante et une vision de ce que pourrait
être l'avenir de l'informatique. Né en 1925 en Oregon, il passe une partie
de la Seconde Guerre mondiale aux Philippines, où il travaille comme
technicien sur les radars de la marine américaine. Ce détail aura toute
son importance dans sa carrière, car le radar est, à l'époque, un des rares
appareils électroniques disposant d'une interface sous forme d'écran.

À 25 ans, au début des années 1950, il est marié, amoureux et à l'aube
d'une brillante carrière dans l'armée au sein du prestigieux Ames
Research Center, en plein cœur de ce qui est en passe de devenir la Silicon
Valley. Mais Douglas Engelbart n'est pas satisfait de cette existence trop
balisée et, après des années de remise en question, il vit un jour une véritable illumination, sur le bord de la route, quelque part sur le chemin vers
le centre de recherche. Cette prise de conscience pourrait se résumer
comme suit :

— La technologie rend le monde des humains de plus en
plus complexe.

— La seule réponse possible à cette complexification est la pensée collaborative.

— La complexification de la pensée collaborative doit augmenter de manière exponentielle et non incrémentale (par paliers) si on veut répondre à ces défis.

— Les ordinateurs peuvent et doivent augmenter la pensée humaine.

— Les ordinateurs sont des machines rebutantes.

— Il faut trouver un moyen de rapprocher la machine de l'humain.

— Au diable la *job* de 9 à 5.

En 1955, après un retour aux études, Douglas Engelbart quitte le campus de Berkeley avec un doctorat en génie électrique sous le bras, et la ferme conviction que les êtres humains doivent envisager d'apprendre comment augmenter leurs capacités mentales avec le concours des machines.

Cette époque est aussi très fertile dans le monde de l'informatique : en 1956, l'informaticien John McCarthy organise la première université d'été consacrée à une science naissante, l'intelligence artificielle. Sans être des adversaires (les deux hommes se respectent énormément), Douglas Engelbart et John McCarthy ne partagent pas le même rapport aux machines. McCarthy et ses collègues, épris d'intelligence artificielle, ne jurent que par des modèles informatiques qui, pensent-ils, vont rapidement dupliquer le cerveau humain, puis le dépasser.

Engelbart est moins catégorique, plus pragmatique. Pour lui, la grande nouveauté apportée par l'informatique réside dans la possibilité d'augmenter la pensée humaine. De la même manière que l'avion nous a permis de voyager plus rapidement et plus efficacement, nous ne devons pas considérer l'ordinateur comme notre éventuel remplaçant, mais plutôt essayer de comprendre comment il peut nous aider à développer une pensée plus englobante, plus efficace.

Donc, à cette époque, deux laboratoires, dirigés respectivement par John McCarthy et Douglas Engelbart, réalisent de la recherche de pointe autour de l'université Stanford : le Stanford Artificial Intelligence Laboratory et l'Augmentation Research Center, une créature du Stanford Research Institute. En caricaturant, on pourrait dire que McCarthy voulait augmenter la machine sans l'humain tandis que Douglas Engelbart voulait augmenter l'humain avec la machine.

Mais pour cela, il faut rapprocher la machine des travailleurs. Et à l'époque, on est encore bien loin de l'ordinateur personnel. En fait, ces années-là, l'ordinateur est même tout, sauf personnel. Et il a mauvaise presse, surtout au sein de la jeunesse branchée : c'est une bête revêche, énorme, un instrument que les militaires utilisent pour modéliser les explosions nucléaires, avec lequel, en sus, il est difficile d'interagir.

On ne s'en rend pas compte rétrospectivement, mais en 1968, quand Stanley Kubrick, réalisateur du long-métrage de science-fiction *2001, l'Odyssée de l'espace*, intègre à ses décors des écrans qui permettent à l'équipage du vaisseau *United States Spacecraft Discovery One* d'interagir avec le supercalculateur HAL 9000, le concept est complètement nouveau. À l'époque, plusieurs avancées conceptuelles et technologiques ont permis de réimaginer l'ordinateur. La technologie de production des transistors au silicium avait elle aussi connu une formidable révolution, grâce au procédé planaire qui permettait une production des transistors à grande échelle, tout en les miniaturisant comme jamais. Grâce à ces innovations, Douglas Engelbart a pu imaginer que la taille des ordinateurs allait décroître en même temps que leur puissance allait augmenter. Mais pour que l'ordinateur se rapproche de l'humain, il fallait s'arranger pour que ce dernier soit capable de comprendre ce qui se passe dans la machine en temps réel. Il fallait aussi que l'ordinateur l'aide à mieux communiquer avec ses semblables.

À la fin des années 1950, c'est encore impossible. Les ordinateurs sont tellement gros qu'ils occupent des locaux gigantesques, et on ne peut communiquer avec eux qu'à l'aide de cartes perforées. Bien heureusement, l'expérience de technicien sur les radars de la marine de Douglas Engelbart a laissé des traces, et il est l'un des premiers à comprendre que l'écran constitue l'une des meilleures interfaces qui puissent exister avec une machine.

À la même époque (en 1961-1962), de l'autre côté de l'Amérique, au MIT, des chercheurs-*hackers* vaguement désabusés passent leurs nuits à faire sur les ordinateurs du bureau ce que l'on n'attend surtout pas d'eux : ils jouent avec leur création, le premier jeu vidéo de l'histoire, *Spacewar!*, qui, lui aussi, nécessite un écran cathodique rond.

Plus de six années de recherches sont nécessaires à l'équipe de Douglas Engelbart pour mettre au point des concepts qui font aujourd'hui partie d'une journée normale au bureau : les vidéoconférences, le traitement de texte, les fenêtres de dialogue, les aides contextuelles, la création de fichiers, le partage de fichiers, le travail collaboratif, les liens hypertextes, et même la désormais célèbre souris et son curseur, qui ne seront vraiment utilisés qu'une vingtaine d'années plus tard. Et comme si ce n'était pas suffisant, c'est aussi la première fois à l'époque que les participants d'une conférence ont pu voir défiler sur un écran géant des images générées par ordinateur. PowerPoint avant PowerPoint. La fenêtre de dialogue sera démocratisée dans les années 1980. Le système de vidéoconférence grand public Skype verra le jour quant à lui en 2003.

Les ordinateurs qui génèrent ces images sont situés au SRI à une cinquantaine de kilomètres au sud de San Francisco, à Menlo Park (là où se trouve aujourd'hui le siège social de Facebook). Le centre des congrès de San Francisco et les locaux sont reliés par micro-ondes ainsi que par deux câbles alimentés par des modems 1200 bauds (une vitesse d'environ 1200 k/seconde, soit environ un tiers de pour cent de la vitesse d'une ligne Internet haute vitesse actuelle). On pourrait aussi dire que les principes infonuagiques sont nés lors de cet événement hors du commun : des serveurs distants qui alimentent des terminaux, presque un an avant la première connexion du réseau ARPANET (voir référence), qui aura lieu le 29 octobre 1969 à 22 h 30 entre la UCLA et le SRI. C'est ce qui s'appelle être précurseur.

Lorsque Douglas Engelbart commence sa présentation, assis devant un immense écran de sept mètres de large sur lequel, grande première, on projette l'écran d'un ordinateur, il est un peu gêné. Contrairement à Steve Jobs, il n'a pas l'attitude d'un prosélyte, seulement celle d'un homme qui vient présenter humblement le fruit de six ans de travail d'une imagination colossale. Il n'a pas non plus conscience de la portée des mots qu'il s'apprête à prononcer. « J'espère que la disposition particulière de la scène ne vous importune pas. […] Je dois commencer par vous dire que je suis secondé par une équipe appréciable ici-même ainsi qu'à Menlo Park, 50 kilomètres plus au sud et... [à ce moment Engelbart sourit anxieusement et regarde vers le haut] si tout le monde exécute bien son travail, ce devrait être pas mal intéressant [il regarde encore vers le haut], enfin je crois. Le programme de recherche que je m'apprête à vous présenter pourrait être rapidement décrit en vous disant que si vous êtes un col blanc par exemple, vous pourriez travailler dans votre bureau avec un terminal alimenté par un ordinateur qui travaillerait pour vous toute la journée tout en étant toujours responsable [il regarde encore vers le haut, embarrassé] euh, adaptatif ! Toujours adaptatif ! »

En anglais, les adjectifs *responsible* et *responsive* signifient respectivement « responsable » et « adaptatif ». Dans son petit lapsus introductif, Engelbart, en plus d'avoir inventé la vie de bureau moderne en compagnie des machines, vient de résumer l'un des enjeux les plus importants du demi-siècle à venir.

Ce matin-là à San Francisco, sans fracas, sans emphase, selon l'expression d'un des participants, un ingénieur sans prétention, assis devant un auditoire ébahi, faisait « sortir des éclairs de ses deux mains ».

Et il y avait beaucoup plus que *one more thing*.

MOZILLA FIREFOX

En matière de nouvelles technologies et d'Internet, la plupart des gros joueurs sont des entreprises privées. Dans cet écosystème où le Dollar est roi, quelques originaux parviennent pourtant aussi à se tailler une part de marché, et à la garder. C'est le cas du navigateur libre et gratuit Mozilla Firefox.

Le projet Mozilla naît en 1998, lorsque les créateurs de Netscape Navigator (voir référence) libèrent le code source de leur navigateur. La « recette » du célèbre navigateur se retrouve ainsi entre les mains de développeurs qui travaillent de manière ouverte pour améliorer l'outil et ses fonctionnalités.

Ce n'est qu'en 2002 qu'une première version du navigateur, Mozilla 1.0, voit le jour. En 2003, un organisme à but non lucratif est créé, baptisé Fondation Mozilla : en 2004, il lance le navigateur Web Firefox. Au cours de la première année, Firefox sera téléchargé 100 millions de fois. En 2008, 2009 et 2010, Mozilla Firefox est au sommet : selon les mois, autour de 45 % des utilisateurs naviguent grâce à lui. Puis, Google Chrome sonne tranquillement le glas de cette domination à compter de 2012.

MUSICAL.LY

S'il est une application chinoise qui connaît une popularité mondiale, c'est bien celle-là.

Créée en 2014, musical.ly propose à ses utilisateurs de se filmer en faisant du *lip sync* (synchronisation labiale) et en dansant sur des chansons à la mode.

L'un de ses fondateurs, Alex Zhu, est un ancien employé de Microsoft et de SAP (chef de file des systèmes de gestion et de maintenance). L'application a d'abord été lancée en Chine, mais ça n'a pas bien fonctionné : concentrés sur l'école, les enfants chinois disposent de peu de temps pour laisser libre cours à leur *pop star* intérieure. Alex Zhu a donc décidé de se focaliser sur le marché américain, où les enfants ont plus de temps libre.

Offerte en 25 langues, l'application compte plus de 150 millions d'utilisateurs au moment de son rachat par un concurrent — toujours

chinois — ByteDance, en novembre 2017. On parle d'une transaction évaluée entre 800 millions et 1 milliard de dollars américains. En août 2018, elle prend le nom de TikTok.

MUSIQUE EN CONTINU

« Les consommateurs ne sont plus prêts à payer pour de la musique », entendait-on souvent dire il y a quelques années. Et pourtant... Contre toute attente, les profits de l'industrie musicale sont en hausse depuis 2015, grâce aux abonnements toujours plus nombreux à des services d'écoute de musique en continu tels que Spotify, Deezer ou Apple Music. Les chiffres, tant à l'échelle mondiale que sur le marché nord-américain, indiquent que plus de la moitié des revenus de l'industrie musicale proviennent désormais de ces plateformes. Encore plus étonnant, cette croissance va de pair avec une augmentation des ventes de disques vinyles.

MYSPACE

Un réseau social populaire, avant la création de Facebook, ça ressemblait à Myspace.

On pouvait y publier des photos et personnaliser sa page avec des papiers peints numériques.

Le site, fondé en 2003 par Chris DeWolfe et Tom Anderson, est racheté deux ans plus tard par le groupe de Rupert Murdoch, News Corporation, pour 580 millions de dollars américains. En 2005, il n'y a pas de site plus *cool* ou plus grand public que Myspace. Cette année-là, plusieurs statistiques le placent parmi les sites les plus fréquentés au monde. Les utilisateurs s'y rendent pour entretenir des liens avec leurs proches, mais aussi avec leurs musiciens préférés.

Durant les premières années suivant l'acquisition, tout semble indiquer à News Corporation qu'elle a fait un très bon choix : un contrat de publicité de 900 millions avec Google, des revenus publicitaires en forte hausse. En 2008, le site est à son apogée. Il peut revendiquer 80 millions d'utilisateurs aux États-Unis, soit le double de Facebook à la même époque.

Mais par la suite, Myspace va se faire éclipser par les réseaux sociaux concurrents. En juin 2011, l'entreprise change de nouveau de mains, dans une transaction 16 fois moins importante qu'en 2005 : Robert Murdoch vend Myspace pour 35 millions de dollars américains. Les acquéreurs sont le chanteur américain devenu acteur Justin Timberlake — qui personnifiait Sean Parker, cofondateur de Napster, dans le film *The Social Network*, relatant la naissance de Facebook — et une compagnie de publicité en ligne, Specific Media.

En 2016, c'est au tour de la société de presse Time Inc. d'acquérir Myspace, une compagnie qui sera bientôt engloutie dans un plus large conglomérat de médias, Meredith Corporation.

Le site existe toujours, et se présente comme un endroit où l'on peut trouver de l'information récente sur les artistes ainsi que des nouveautés musicales. La dernière fois que nous l'avons consulté, il affichait en une les détails des fiançailles d'une actrice de la série télévisée musicale *Glee*.

En mars 2019, on apprenait que 12 ans de contenu, dont 50 millions de chansons, auraient été perdus dans « une migration de serveurs qui a mal tourné ».

NAKAMOTO, SATOSHI

Pseudonyme utilisé par l'inventeur du bitcoin (voir *Blockchain*) pour dissimuler sa véritable identité.

NERD

Terme souvent péjoratif. Individu passionné de sciences et de technologies. Selon plusieurs définitions, le *nerd* ne partage pas l'intérêt du *geek* pour la culture populaire de science-fiction ou pour les jeux vidéo.

NETFLIX

Netflix, c'est un service de vidéo à la demande avec abonnement, qui passe par le réseau Internet et qui donne accès à un catalogue de films et de séries pour une dizaine de dollars par mois. VàDA, pour « vidéo à la demande par abonnement ». On entend aussi SVoD pour « *Subscription Video on Demand* ».

La vidéo à la demande correspond à une tendance de fond en matière de consommation culturelle. On l'observe dans le domaine musical, avec le succès de plateformes comme Spotify, Deezer, Songza, etc. Et c'est aussi vrai à la télévision et au cinéma : les consommateurs veulent de plus en plus « consommer » leurs films et séries en flux continu (*streaming*). Pour ce qui est de la vidéo, YouTube a pavé la voie en démontrant que les consommateurs ne désiraient pas seulement recevoir un flux linéaire continu, mais voulaient être libres de choisir.

La liberté est un des secrets de Netflix : le service me permet de choisir dans un catalogue ce que je veux, au moment où je le veux. En tant que spectateur, je ne suis plus soumis à la tyrannie de la grille de programmation (qui favorise certaines cases horaires) — et il n'y a pas de publicité. Qui plus est, je suis aidé dans mes choix par un outil de recommandation lié à mes goûts. Cet outil de personnalisation repose sur la technique du « filtrage collaboratif » : on fait à l'utilisateur des recommandations en comparant son profil comportemental avec celui d'autres utilisateurs ayant regardé les mêmes produits. L'algorithme fait confiance à la régularité des structures de goût entre utilisateurs pour faire ces rapprochements.

Mais la clé du succès de Netflix, c'est le contenu, l'offre. En 1997, à ses débuts, Netflix était un service de location de DVD livrés à domicile. Quand la vitesse et le prix de la bande passante ont baissé, l'entreprise a amorcé son virage vers un catalogue en ligne. Mais Reed Hastings, le patron, a compris que s'il voulait garder ses abonnées captifs, il devait leur offrir autre chose que des films « réchauffés » : il fallait créer du contenu original, pour en avoir l'exclusivité ; passer du modèle Spotify au modèle HBO, premier réseau à avoir gagné un Golden Globe avec la série *The Sopranos* en 1999.

Depuis 2013, Netflix propose des productions originales à grand déploiement, avec des séries comme *Making a Murderer, Narcos, Marco Polo, Orange is the New Black…* L'entreprise a signé un partenariat avec Marvel Studios (*Marvel's Daredevil, Marvel's Jessica Jones*) et s'est aussi lancée dans la production de films originaux (*Beasts of No Nation*, avec Idris Elba). Un véritable studio, capable d'investissements colossaux (environ 4 millions $/épisode ; 100 millions de dollars américains pour les deux premières saisons dans le cas de *House of Cards*).

Et les résultats sont au rendez-vous : en 2017, Netflix a battu pour la première fois HBO aux nominations pour les Golden Globes, avec huit nominations en télévision, contre sept pour HBO. La plateforme a aussi généré de nouvelles habitudes et de nouveaux rituels, comme le *binge-watching* (voir référence) ou le *Netflix and chill* (voir référence). Netflix désigne même un modèle d'affaires : tout comme on parle de l'« ubérisation » de l'économie depuis le phénomène Uber, on parle désormais d'une « netflixisation » de la télévision. Sandrine Treiner, présidente de la station de radio culturelle publique française France Culture, affirmait récemment vouloir créer le « Netflix des savoirs ».

NETFLIX AND CHILL

Netflix and chill est une expression d'argot Internet (*Internet slang*) qui est apparue en Amérique du Nord avec l'essor de l'offre par contournement de Netflix (voir référence) et qui a une double définition. La première,

La neutralité du Net vise à préserver l'égalité et l'innovation littérale, signifie « regarder Netflix et se détendre ». La deuxième, moins explicite, est une invitation lancée à visionner des séries en rafale (voir *Binge-watching*) avant d'avoir une relation sexuelle (avec Netflix en toile de fond).

NETSCAPE NAVIGATOR

Au milieu des années 1990, lorsqu'on « surfe » sur Internet, c'est la plupart du temps avec le navigateur Netscape Navigator. En août 1995, lorsque la compagnie se lance en Bourse moins d'un an après sa fondation, c'est l'euphorie. À la fin de la première journée, le titre est en hausse de 108 %.

En 1996, Netscape Navigator accapare plus de 80 % des parts de marché. L'hégémonie prend tranquillement fin lorsque Microsoft décide d'inclure d'emblée Internet Explorer à Windows 95 (voir référence).

NEUTRALITÉ DU NET

Le concept de neutralité du Net signifie qu'un fournisseur d'accès à Internet (FAI) tel que Verizon Wireless, Comcast, Bell Canada ou encore Vidéotron doit garantir au consommateur un accès sans restriction et sans surveillance aux données, et qu'il ne peut pas ralentir l'accès aux sites Internet visités.

Ce dernier point est important, puisqu'il stipule qu'un FAI ne peut pas demander à Netflix ou à YouTube de payer plus cher pour leur assurer un accès plus rapide au consommateur. Pour le consommateur, cela signifie qu'aucun site Internet ne s'affiche plus vite qu'un autre. Le blogue de votre voisin apparaît aussi rapidement sur votre écran que le site de la multinationale Amazon.

La neutralité du Net vise à préserver l'égalité et l'innovation. Cela évite que les compagnies plus riches disposent d'une connexion plus rapide que les moins riches. Imaginez ce qui serait arrivé si, en 2007, devant la menace que constituait Facebook, Myspace avait pu signer des ententes avec Comcast pour ralentir l'accès aux pages de Facebook…

Après des années de lobbying important de la part des FAI américains, les États-Unis ont aboli le principe de neutralité du Net en 2017, soulevant ainsi une polémique importante chez les acteurs de l'économie numérique.

NOMOPHOBIE

Retournez-vous chercher votre téléphone cellulaire si vous l'avez oublié à la maison ? Vous paniquez face à une perte soudaine de réseau ?

Si vous répondez oui à ces quetions, vous souffrez peut-être de nomophobie. La nomophobie, une contraction de « *no mobile phone* » et de « *phobia* », décrit un état d'anxiété généré par le fait de ne pas avoir accès à son téléphone intelligent. Le phénomène a même fait l'objet d'études sérieuses, notamment de la part de l'université de l'Iowa, en 2014.

OBSOLESCENCE PROGRAMMÉE

Ensemble des techniques qui visent à réduire délibérément la durée de vie d'un produit, pour en augmenter le taux de remplacement.

Au sens strict du terme, cela suppose une action délibérée de la part des concepteurs d'un produit, pour qu'il arrête de fonctionner après X utilisations, idéalement au moment où une nouvelle version du produit (ou un nouveau produit) est disponible. C'est du sabordage. Cette obsolescence serait conjuguée à une pénurie organisée des pièces. À noter qu'on entend beaucoup d'histoires sur de supposées entreprises qui truquent sciemment leur produit pour nous faire consommer plus, mais qu'il existe peu de cas avérés et documentés.

Et pour cause : le manufacturier vit dans un monde ultra concurrentiel où le consommateur est roi. Si ce dernier n'est pas satisfait, il achète le produit d'une autre marque. Dans un monde concurrentiel, l'obsolescence programmée suppose donc une collusion de la part des vendeurs.

Un des exemples les plus connus de collusion est le fameux cartel Phœbus, au sein duquel, entre 1924 et 1939, Philips, Osram et General Electric ont volontairement conjuré pour contrôler la fabrication et la vente des lampes à incandescence. Ils auraient réduit la durée de vie des ampoules pour en vendre plus.

Les industriels ne truquent pas leurs produits, mais ils sont confrontés à une concurrence mondialisée, à un consommateur de plus en plus éduqué, perçu (à tort) comme un chasseur de prix, et à l'émergence de mégadistributeurs comme Walmart ou Amazon, qui poussent les prix vers le bas. Résultat : certains produits durent moins longtemps, mais coûtent en revanche bien moins cher qu'un bien plus pérenne.

L'expression *obsolescence programmée* désigne aussi par extension une stratégie de marketing visant à rendre un produit intéressant aux yeux du consommateur pour qu'il ait envie d'en acheter un neuf. L'obsolescence est ici le résultat des effets conjugués de l'innovation, du marketing et de la mode (donc du comportement des utilisateurs).

Plusieurs techniques existent pour accélérer le cycle de vie d'un produit.

L'obsolescence basée sur l'innovation est très présente dans le domaine de l'informatique, avec ses avancées technologiques spectaculaires. On veut la dernière version d'un téléphone cellulaire X, parce qu'elle propose

PayPal, c'est aussi l'histoire d'une guerre entre deux compagnies de nouvelles fonctionnalités, plus puissantes que celles de la version précédente. Cette obsolescence est le résultat de la concurrence entre les manufacturiers et de la demande des consommateurs, qui jouent un rôle actif dans cette problématique.

Il existe aussi une obsolescence systémique, qui consiste à rendre un produit obsolète en changeant le système ou le logiciel requis pour son utilisation. Un téléphone devient obsolète parce qu'il n'est plus compatible avec les nouveaux logiciels sur le marché, qui demandent plus de puissance ou de mémoire. On se souvient du scandale déclenché par les iPad d'Apple de première génération, qui n'étaient pas compatibles avec la mise à jour du système d'exploitation commercialisée deux ans plus tard. La même compagnie a par ailleurs créé des « freins à la customisation » qui empêchent par exemple de remplacer la pile de son iPhone par une pile de plus grande capacité. Certaines autres marques vont jusqu'à souder la pile pour empêcher le consommateur de la changer.

Enfin, on parle d'obsolescence esthétique ou publicitaire lorsque le consommateur a soudainement envie de changer de téléphone cellulaire, après une campagne de pub savamment orchestrée qui lui a présenté un nouveau produit beaucoup plus beau. C'est sur ce principe que fonctionne la mode dans le secteur du textile.

OPENSTREETMAP (OSM)

OpenStreetMap est un ambitieux projet de cartographie libre de droits, construit grâce à la collaboration des internautes.

PAGERANK

PageRank est le nom de l'algorithme de recherche de Google. La grande révolution de Google, c'est d'avoir montré qu'il était possible de déterminer le degré de pertinence des sites en ligne.

Avant Google, les recherches dans un moteur de recherche étaient lexicales : les anciens moteurs classaient en haut de la liste les sites qui comprenaient plusieurs fois le mot-clé de la requête. Il suffisait simplement de multiplier ce mot dans une page pour sortir en première position.

Larry Page et Sergey Brin, les fondateurs de Google, ont créé un algorithme qui permet de mesurer l'autorité (la force sociale) des pages Web. Cette autorité est déterminée par des dizaines de facteurs, dont la qualité des liens qui pointent vers la page. Plus une page reçoit de liens provenant d'autres pages faisant autorité, plus Google considère que cette page fait elle-même figure d'autorité sur le sujet recherché, et plus son classement est bon.

PALMPILOT

Un million d'exemplaires du Pilot 1000 PDA (*personal digital assistant*) s'écoulent dans les 18 mois qui suivent sa sortie en 1997. Le succès de cet assistant personnel numérique survient après plusieurs revers pour l'entreprise PalmPilot, fondée par Jeff Hawkins en 1992.

En 2000, l'entreprise entre en Bourse, où sa valeur s'effondrera l'année suivante, avec l'éclatement de la bulle technologique (voir *Bulle Internet*) de 2001. Elle ne disparaîtra pas tout à fait et connaîtra un succès relatif par la suite avec le téléphone Centro, avant d'être rachetée par Hewlett-Packard en 2010.

PAYPAL

Service de paiement en ligne, qui permet aussi d'envoyer et de recevoir de l'argent. Le joueur incontournable dans le secteur des transactions bancaires en ligne, pionnier du domaine.

PayPal, c'est aussi l'histoire d'une guerre entre deux compagnies : X.com, créée en 1999 par Elon Musk (encore tout jeune, mais déjà riche grâce à la vente de sa société Zip2), qui offrait des services bancaires en ligne, et Confinity, fondée un an auparavant par Max Levchin, Peter Thiel et Luke Nosek, dont la mission était d'envoyer de l'argent entre deux PalmPilot (voir référence). En 2000, les deux start-ups fusionnent sous la bannière PayPal, et en 2002, la compagnie est achetée par eBay, qui ne s'en départira qu'en 2015.

PGP (pretty good privacy)

PGP (Pretty Good Privacy) est un logiciel de cryptage développé par Philip Zimmermann au début des années 1990.

C'est le logiciel de chiffrement de courrier électronique le plus utilisé au monde.

PITCHFORK

Né en 2005, le site Web a d'abord vécu sous la forme d'un blogue créé par un étudiant du Minnesota, Ryan Schreiber. Il a changé plusieurs fois de nom avant de recevoir son nom définitif, Pitchfork, en 2006. Depuis 2009, il est basé à Chicago.

Avec la critique et la notation d'albums pour fond de commerce, Pitchfork s'est imposé en tant que prescripteur des musiques « alternatives » : de Bon Iver à Arcade Fire, en passant par Interpol ou Sufjan Stevens, tous ont une dette envers Pitchfork.

Le site au trident s'est transformé en une vingtaine d'années pour devenir le média musical le plus influent d'Internet, glissant en 2018 sous l'étendard du mastodonte de la presse mondiale Condé Nast.

POITRAS, LAURA

Réalisatrice et documentariste américaine née en 1964, elle a notamment réalisé *Citenzenfour* (Oscar du meilleur documentaire en 2015), portant sur les révélations d'Edward Snowden (voir *Snowden, Edward*) et la surveillance mondiale généralisée, ainsi que *Risk*, qui brosse un portrait de WikiLeaks et de son fondateur, Julian Assange.

Ses premiers films — principalement *My Country, My Country* en 2006, qui parle de l'occupation américaine en Irak — la placent dans la ligne de mire de la sécurité intérieure des États-Unis. Chacun de ses passages aux douanes s'avère assez complexe. Elle s'intéresse alors de plus en plus à la surveillance de masse, et démarre la production d'un documentaire sur le sujet. Ses plans sont interrompus lorsque le lanceur d'alerte Edward Snowden la contacte anonymement (sous le nom de code Citizenfour) pour lui montrer les nombreux documents qu'il a en sa possession et qui rendent compte de l'étendue de la surveillance systématique que subissent les citoyens américains de la part de leur propre pays.

C'est dans ce cadre qu'elle entame une collaboration comme journaliste indépendante avec plusieurs médias majeurs. En 2014, le *Guardian* et le *Washington Post* reçoivent le prix Pulitzer du service public pour leurs publications.

POKÉMON GO

Pokémon Go est un jeu vidéo mobile qui s'appuie sur la réalité augmentée (voir référence) et la géolocalisation multijoueur, pour permettre à des « chasseurs » de dénicher des animaux fantastiques issus de la franchise japonaise Pokémon. Le jeu a connu un succès immense pendant l'été 2016, devenant rapidement l'application la plus téléchargée de l'histoire. Une telle réussite s'explique notamment par un mariage parfait entre technologie et nostalgie.

Les combats d'insectes constituent un divertissement populaire en Asie du Sud-Est. Distraction favorite des empereurs, le combat de criquets est apparu en Chine avec la dynastie Tang (618-907). La pratique institutionnalisée, qui ravit les parieurs, vient d'un jeu d'enfant qui consiste depuis des temps immémoriaux à capturer des insectes pour les faire s'affronter.

Dans les années 1990, le créateur de jeux vidéo Satoshi Tajiri s'était inspiré des combats de scarabées de son enfance pour produire un jeu vidéo pour la console portable Game Boy Advance (GBA) de Nintendo : *Pokémon*, contraction de *pocket monsters*. Le succès avait été instantané. En 20 ans, la franchise a accouché de 70 jeux, de 18 films et de 800 épisodes d'animation.

La nouveauté apportée par l'application mobile *Pokémon Go*, explique la philosophe des médias Clara Schmelck, c'est « l'effet inédit de territorialisation d'une expérience ludique ». *Pokémon Go* permet de transformer la ville, le territoire en espace de jeu infini.

Cette territorialisation est rendue possible grâce à l'adoption quasi généralisée des téléphones intelligents (dont *Pokémon Go* utilise des fonctionnalités intégrées comme la caméra, le gyroscope et l'accéléromètre) — qui sont devenus « le dénominateur commun de toute une communauté connectée, et par conséquent la porte d'entrée de nombreux contenus et de nombreuses expériences ».

L'autre facteur de cette territorialisation est bien évidemment le grand chantier de numérisation de l'espace entrepris il y a plus de 10 ans. Rien d'étonnant à ce que Niantic, le studio auquel la franchise Pokémon et Nintendo se sont associés pour la production de *Pokémon Go*, ait été fondé au sein de Google par John Hanke, ancien vice-président de la division Google Geo, qui regroupait Google Earth, Google Maps, Local, Google Street View et SketchUp, entre autres.

Dans une de ses nouvelles les plus connues, le romancier argentin Jorge Luis Borges rapporte l'histoire de géographes que la rigueur scientifique avait poussés à établir une carte à l'échelle 1/1 — une carte qui se confond avec le territoire qu'elle représente. D'une certaine façon, *Pokémon Go* propose une expérience borgésienne, puisque pour les joueurs, la carte se confond elle aussi avec le territoire. Les dresseurs de Pokémon doivent par exemple régulièrement s'arrêter à des PokéStops, des emplacements précis dans la ville, afin d'obtenir les Poké Balls, nécessaires pour attraper les Pokémon et divers bonus. Ils se donnent aussi rendez-vous dans des arènes pour s'affronter.

Tous ces lieux ont été identifiés de manière collaborative par les joueurs d'*Ingress*, un jeu produit par Niantic en 2012, et qui a servi de base à *Pokémon Go*. *Ingress* repose sur un concept de capture de drapeaux. Le but du joueur d'*Ingress* et de son équipe, est de capturer des portails dissimulés dans la ville à l'aide d'appareils mobiles.

Pokémon Go reprend la logique des jeux urbains ancestraux comme la chasse au trésor, l'attrape-drapeau, la course d'orientation et plus récemment le jeu de rôle. Depuis le début des années 2000, plusieurs

Le jeu crée un
« cercle magique » :
un espace et un
temps qui exercent
un pouvoir de
fascination capable
de retenir les acteurs
en son sein

développeurs de jeux vidéo ont essayé de créer des jeux « grandeur nature » en tentant d'exploiter les potentialités du numérique dans le monde urbain.

Majestic est l'un des premiers jeux vidéo à avoir traversé la frontière de l'écran en 2001. Inspiré du film *The Game* (1997), *Majestic* est un jeu en ligne produit sous la forme d'une série télé par la compagnie Electronic Arts. Les énigmes sont envoyées aux joueurs par courriel, par télécopie ou encore par téléphone cellulaire. Suivront *Boktai* (Konami, 2003), *ilovebees* (42 Entertainment, 2004), *ConQwest* (Qwest, 2004), *Plundr* (Plundr, 2004), ainsi que des projets plus artistiques comme *Can You See Me Now ?*, produit par le collectif Blast Theory et *Pac-Manhattan*.

En 2010, le constructeur automobile anglais Mini avait lancé une offensive marketing sous la forme d'un jeu de piste dans la ville de Stockholm. Mais le premier vrai succès du genre appartient à Niantic avec *Ingress* (2012). Selon Markus Montola, du Swedish Institute of Computer Science, ces jeux ont en commun d'être pervasifs, c'est-à-dire qu'ils proposent une ou plusieurs caractéristiques qui « élargissent le cercle magique contractuel du jeu aux domaines social, spatial et temporel ».

Markus Montola fait ici référence à la définition du cercle magique donnée par l'historien néerlandais Johan Huizinga, dans son ouvrage classique *Homo ludens, essai sur la fonction sociale du jeu*. Pour lui, l'une des conditions fondamentales du jeu est que le joueur y entre de son plein gré et en sorte quand il le désire. Le jeu crée un « cercle magique » : un espace et un temps qui exercent un pouvoir de fascination capable de retenir les acteurs en son sein. À l'intérieur du cercle, on est dans le jeu. En dehors du cercle, on ne joue pas.

Si *Pokémon Go* réussit l'intégration parfaite du numérique dans le tissu urbain, il en reproduit aussi les inégalités. Les points d'intérêt urbains ont ainsi été répertoriés et choisis par les joueurs d'*Ingress* en fonction de leur importance sur le plan historique, artistique ou touristique. Mais ils ne sont pas répartis de manière égalitaire sur le territoire, puisque les monuments se trouvent presque toujours dans les quartiers les plus riches, ce qui contribue à une forme de ségrégation sociale dans le jeu.

Dans son livre, Johan Huizinga décrit trois aspects du cercle magique. Le jeu a d'abord une dimension sociale : notre société isole des moments réservés culturellement au jeu. Vient ensuite la dimension temporelle : le jeu a un début et une fin, et on sait plus ou moins combien de temps va durer une partie. Enfin, le jeu est défini par sa spatialité, il se déroule dans un espace circonscrit.

Selon Markus Montola, le jeu « pervasif » casse le cercle magique, et *Pokémon Go* constitue un exemple parfait de cette sortie de l'espace ludique défini par Huizinga. Avec *Pokémon Go*, on ne sait plus quand le joueur joue ou non, le jeu n'a plus de début ni de fin, et le territoire s'étend à l'ensemble de la planète ou presque. Le jeu efface les frontières entre l'espace social à l'intérieur duquel on joue et la vie quotidienne (en témoignent notamment les notifications que le joueur reçoit en fonction des lieux physiques qu'il visite).

L'autre raison majeure du succès de *Pokémon Go* tient à la relation nostalgique que le grand public entretient avec la franchise Pokémon. Comment expliquer sinon qu'*Ingress*, produit par le même studio et reposant sur les mêmes mécanismes, n'ait pas connu le même engouement ?

Pokémon Go joue la carte du rétrogaming, cette tendance qui consiste à remettre des jeux vidéo anciens au goût du jour, grâce à une expérience technologique contemporaine. Pour la chercheuse Danah Boyd, *Pokémon Go* permet « d'être social, d'explorer l'environnement urbain, mais aussi et surtout de cultiver son côté idiot, régressif et enfantin ». La nostalgie est un puissant véhicule marketing puisqu'elle renvoie le consommateur à une époque idéalisée — un monde où tout semblait plus simple et donc plus rassurant.

Cette nostalgie est portée par une génération de joueurs dont l'enfance a été marquée par la « pokémonmania ». Cette génération, qui avait entre 5 et 15 ans à la fin des années 1990, est aussi celle des *digital natives* (les enfants du numérique ou les natifs numériques) qui ont grandi avec Internet et généralisé l'usage des appareils mobiles. Au Québec, les 25-35 ans constituent aujourd'hui le groupe le plus enclin à utiliser la technologie mobile, puisque 80 % d'entre eux ont accès à un téléphone intelligent.

POMME (croquée)

La pomme croquée d'Apple est certainement le symbole le plus célèbre du monde de la micro-informatique. Steve Jobs et Steve Wozniak l'auraient choisi lors de la fondation de l'entreprise en 1976, pour rendre hommage au génial mathématicien britannique Alan Turing qui, pendant la Seconde Guerre mondiale, a réussi à décrypter le code secret généré par la fameuse machine Enigma utilisée par l'ennemi allemand.

Alan Turing, que les fondateurs d'Apple admirent, s'est suicidé en 1954, à l'âge de 42 ans, en mangeant, comme Blanche-Neige, qu'il adorait, une pomme imbibée de cyanure. Il venait d'être inculpé par la justice britannique « d'indécence manifeste et de perversion sexuelle » et condamné à la castration chimique, pour le seul motif d'être homosexuel. Les couleurs de l'arc-en-ciel rappelant le drapeau de la communauté LGBT du logo d'Apple seraient d'ailleurs un autre clin d'œil au héros.

Mais revenons à Enigma. Enigma était une machine électromécanique portable servant au chiffrement et au déchiffrement de l'information. Elle était considérée comme inviolable parce qu'elle générait 159 milliards de milliards de combinaisons toutes les 24 heures. Pour la battre à son propre jeu, Alan Turing avait imaginé une machine électromécanique capable d'abattre quotidiennement le travail de 10 000 personnes. Selon certains historiens, le déchiffrage des messages codés des soldats allemands a permis aux alliés d'écourter le conflit d'au moins deux ans.

Aujourd'hui, Turing est considéré comme le père de l'informatique, et Apple est la première entreprise à avoir dépassé 1000 milliards de dollars américains en capitalisation boursière.

Dans l'imaginaire collectif, les fondateurs d'Apple auraient donc utilisé la pomme comme un coup de chapeau à Alan Turing. Malheureusement, cette histoire est… fausse. Le premier logo d'Apple a en réalité été dessiné en 1976 par le troisième cofondateur d'Apple, Ronald Wayne. Il avait représenté Isaac Newton assis sous un pommier, juste avant que la pomme ne lui tombe sur la tête. Dans le cadre entourant l'illustration, il avait écrit : « Newton… A Mind Forever Voyaging Through Strange Seas of Thought… Alone. » (Newton… Un esprit voyageant à travers les méandres de la pensée… Seul.).

Un an plus tard, Steve Jobs fait remplacer ce logo illisible par ce qui deviendra une icône du design moderne. Il confie le mandat à un jeune graphiste de Palo Alto, Rob Janoff, qui dessine simplement une pomme. « C'était banal », expliquera-t-il plus tard. La partie croquée a été ajoutée afin d'éviter toute confusion avec un autre fruit, comme une cerise ou une tomate.

Les couleurs arc-en-ciel, quant à elles, ne font pas référence au drapeau LGBT, qui naîtra quelques mois plus tard à peu près au même endroit dans la baie de San Francisco. Soit elles rappelleraient le moniteur couleur qui équipait à l'époque les produits Apple, soit elles répondraient à une demande de Steve Jobs, qui désirait un logo coloré afin de véhiculer une image plus humaine de sa compagnie.

PORNOGRAPHIE

Sans doute l'un des plus grands vecteurs d'innovation technologique. L'industrie éminemment lucrative de la pornographie en ligne a été la première à adopter une vitesse de téléchargement supérieure ou encore la réalité virtuelle.

PRÉDICTIF
(analyse prédictive des crimes)

L'analyse prédictive des crimes regroupe une multitudes de techniques, issues notamment des statistiques qui font l'analyse des crimes et incivilités présents et passés dans le but d'émettre des hypothèses sur des événements futurs.

À la fin des années 1980, la police américaine a adopté une approche statistique pour lutter contre la criminalité. Grâce aux statistiques, les policiers identifient des zones criminogènes et ils arrêtent autant de suspects que possible dans ces secteurs. Tous les individus qui commettent des infractions, mêmes mineures, sont interpellés de façon préventive, parce que les statistiques prédisent qu'ils ont plus de chance que les autres de commettre un crime plus grave. En passant le filet dans un lieu statistiquement propice au crime, la police espère anticiper les délits, et trouver des criminels recherchés. Aujourd'hui, l'approche statistique est dépassée, parce qu'elle présente un gros défaut : elle oblige la police à procéder à des contrôles et des arrestations de masse, ce qui nécessite beaucoup de ressources.

L'analyse prédictive englobe l'analyse statistique, mais pousse plus loin sa logique. Elle repose sur l'idée que tous les criminels ont des comportements similaires, et qu'on peut les modéliser. Pour construire ces modèles, des grandes entreprises, comme IBM, offrent des solutions logicielles qui permettent de collecter l'information, de la regrouper et de la trier.

Tous les jours, les policiers, aidés des logiciels d'analyse prédictive, rassemblent des quantités importantes de données sur les crimes : le lieu, l'objet (cambriolage, vol de voiture), l'heure de la journée, la période de l'année, la température (s'il fait chaud, humide, froid), le profil des criminels et des victimes, etc.

Les logiciels comme ceux d'IBM traitent toutes ces informations et construisent des modèles de comportement qui vont aider les polices locales à anticiper les incidents, à profiler les crimes et les criminels, à améliorer le taux de résolution des affaires et à optimiser l'utilisation des effectifs sur le terrain.

Dans son livre blanc *Prévision et prévention des crimes et délits, Des solutions d'analyse avancée pour renforcer la sécurité publique*, IBM se targue d'avoir aidé le service de police de Richmond, en Virginie, à « compiler d'énormes volumes de données auparavant incompatibles, comprenant notamment des rapports sur les incidents, des informations d'indicateurs et des appels de service », ce qui lui aurait permis « d'identifier des schémas, de prévoir des tendances et de prendre des décisions plus efficaces ». Grâce aux logiciels d'IBM, le service de police de Richmond peut désormais identifier les zones géographiques à risque, déployer des enquêteurs et des unités tactiques à titre préventif sur les lieux où c'est le plus nécessaire, identifier les délits mineurs susceptibles de dégénérer en manifestations de violence, déterminer si une menace est fondée ou non, etc.

Ces modèles doivent aider les forces de l'ordre à prédire et à anticiper les activités criminelles avant qu'elles arrivent. « L'accès à des données et des actualisations en temps réel permet de disposer d'analyses concrètes et d'avoir toujours une longueur d'avance sur les criminels », promet même le livre blanc d'IBM. PredPol (*Predictive policing*), le logiciel utilisé par la police de Los Angeles, offre en temps réel aux patrouilles sur le terrain des zones d'intervention d'une superficie de 150 mètres carrés où les crimes sont les plus susceptibles de se produire.

Avec PredPol et la solution IBM sur la compréhension et la prévention de la criminalité, la réalité semble rejoindre la fiction. La technologie et son utilisation ne sont pas sans rappeler la nouvelle de science-fiction de Philip K. Dick, *Rapport minoritaire* (*The Minority Report*). La police d'une ville futuriste y utilise des êtres clairvoyants (les précogs) qui ont la capacité de voir le futur, ce qui lui permet d'arrêter des criminels avant même qu'ils ne commettent leurs méfaits. Ce système de gestion de la criminalité est géré par une entreprise privée qui contrôle indirectement la destinée de toute la société. Comme dans *Rapport minoritaire*, aujourd'hui, ces logiciels d'analyse prédictive appartiennent à des entreprises privées comme IBM.

La police prédictive est donc basée sur des algorithmes qui ne sont compris que par une poignée de personnes et qui sont soigneusement contrôlés par les entreprises qui les ont développés. Avant de mettre en place de tels programmes, il faudrait toujours rappeler la citation de Juvénal, le poète satirique romain de la fin du Ier siècle : « Mais qui surveille les surveillants ? »

PURE PLAYER

Pure player est un faux anglicisme (déformation de l'anglais *pure play*), qui désigne une entreprise dont l'activité est essentiellement en ligne. On oppose traditionnellement les *pure players* aux *bricks and mortar*, des magasins « en dur », construits à partir de briques et de mortier.

Presque toujours présentées comme des entreprises « disruptives » (voir *Disruption*), capitalisant sur les données et profitant d'importantes liquidités provenant du capital-risque, les *pure players* ont, depuis quelques années, été rattrapées par la réalité et les limites de la vente en ligne. Ce qui explique que certaines d'entre-elles, comme Amazon, ajoutent des magasins physiques à leur boutique en ligne. Elles se transforment alors en *bricks and clicks*.

PYTHON

Langage de programmation développé par Guido van Rossum dans les années 1980. Le programmeur néerlandais était fan de la série *Monty Python's Flying Circus*. La première version publique du langage a été diffusée en février 1991.

QUANTIFICATION DE SOI

La quantification de soi (*quantified self* en anglais, « moi mesuré ») est une pratique qui consiste à collecter des données personnelles en temps réel pour les analyser et les partager. Cette tendance est accentuée par la multiplication des objets connectés dans notre quotidien (voir *Internet des objets*) : des chaussures reliées à notre téléphone cellulaire qui gère les distances que l'on parcourt, des montres qui calculent les calories que l'on dépense, etc.

Contribuent aussi à cette tendance, des applications médicales comme CureTogether ou encore PatientsLikeMe, qui permettent de créer des liens entre des personnes souffrant d'une même maladie. Scanadou mesure vos données vitales (tension, rythme cardiaque, etc.) en temps réel. D'autres applications comme NikeFuel ou Runkeeper analysent votre activité physique quotidienne. WakeMate et MyBasis surveillent votre sommeil et HAPIfork vous aide à manger plus lentement. Il existe même des applications qui mesurent votre dépendance à l'alcool (DrinkingDiary) ou vos performances intimes (BedPost).

L'objectif : mieux se connaître et s'améliorer. Pour Gary Wolf, journaliste au magazine *Wired*, les applications de quantification ont remplacé l'introspection de soi qui passait autrefois par la parole et l'écriture. Derrière le moi quantifié, explique-t-il, il y a l'idée qu'on pourrait simplement laisser les outils techniques répondre à la question « qui suis-je ? ».

Le moi quantifié touche aussi les enfants, avec l'émergence de toutes sortes d'applications pouvant mesurer tous les faits et gestes de bébé. La journaliste Rebecca Greenfield parle même d'un phénomène de surveillance extrême du nourrisson : bébé est recouvert de dizaines de senseurs, de moniteurs, de couches-culottes intelligentes... qui amassent des données sur son poids, sa température ou sa respiration. Que fait-on avec ces données ? On ne le sait pas encore. Sont-elles vraiment utiles ? Les médecins sont dubitatifs.

Dominic Basulto, consultant en numérique de New York, a donné un nom à ce nouvel individu qui cherche à tout mesurer de sa vie : le « datasexuel ». Une référence explicite au métrosexuel, cet urbain très préoccupé par son style vestimentaire, son physique et son alimentation. Le datasexuel est son équivalent numérique.

Ce dernier est continuellement connecté, il enregistre de façon obsessionnelle tous les aspects de sa vie, et il pense que ces données sont sexy. Le datasexuel est, en quelque sorte, celui qui a perverti la maxime socratique « Connais-toi toi-même » pour en faire une donnée comptable, il préconise une connaissance de soi par la collecte de chiffres. Plus aucune place pour le hasard, l'imaginaire, le psychologique. Bienvenue dans le monde rationnel et quantifiable, bienvenue dans *La Matrice*.

QUANTIQUE

La physique quantique est au moins aussi originale que ceux qui l'ont développée. Cette science, vieille d'à peine un siècle, permet de décrire des phénomènes à des échelles infinitésimales. Infinitésimales comme dans une échelle qui étudie le comportement de la matière à l'intérieur d'un noyau atomique, qui est lui-même 100 000 fois plus petit que l'atome dont il est le centre. À ce niveau, il faut noter que plus rien ne fonctionne comme dans notre monde. En physique quantique, un élément peut avoir deux états en même temps, il peut être à la fois en mouvement et immobile par exemple. Il peut aussi être à deux endroits en même temps.

C'est parce qu'elle exploite ces propriétés encore mal connues que cette science, née au début du XXe siècle, permet d'envisager des machines informatiques d'une puissance inégalée. Rappelons qu'un ordinateur classique est basé sur une architecture linéaire, où des électrons qui voyagent à la queue leu leu actionnent des transistors (une suite de 0 et de 1 qu'on appelle « bits »). L'ordinateur quantique, lui, fonctionne avec des *qubits*, des *bits* dont l'état peut prendre la valeur 0 ou 1, mais aussi les deux valeurs à la fois : c'est ce qu'on appelle « la superposition quantique ». Les ordinateurs fonctionnant de manière entièrement quantique n'en sont pour le moment qu'au stade de prototype, mais certains d'entre eux ont déjà offert un aperçu des performances inouïes promises par l'application des lois qui régissent l'infiniment plus petit que l'atome : en 2015, le supercalculateur quantique D-Wave 2x a résolu un problème d'optimisation en une seconde. Jusque-là, rien d'extraordinaire, sauf qu'on estime qu'un ordinateur classique aurait mis 10 000 ans pour résoudre ce problème précis. On parle ici d'un facteur d'accélération de la vitesse de l'ordre de 100 millions.

La physique quantique est au moins aussi originale que ceux qui l'ont développée, disions-nous : parmi eux, le grand Erwin Schrödinger, dont le parcours pourrait probablement inspirer Xavier Dolan et Denis Villeneuve pour l'un de leurs prochains films.

Erwin
Schrödinger
est un
jouisseur
à la fois
sportif et
tuberculeux

En plus d'obtenir le prix Nobel de physique en 1933, Erwin Schrödinger écrit certains des articles les plus importants sur le sujet de la physique quantique. Il est aussi parmi ses plus ardents vulgarisateurs. Pour tenter de rendre ce contenu complexe compréhensible pour le grand public, il imagine une expérience de pensée célèbre, le chat de Schrödinger : un chat, enfermé dans une boîte avec une fiole contenant du poison, peut être à la fois vivant si la bouteille est fermée, et mort si la bouteille est renversée. C'est seulement en ouvrant la boîte et en regardant le chat que l'on peut déterminer son état réel.

Du point de vue vestimentaire, Erwin Schrödinger détonne. On raconte d'ailleurs que, même lorsqu'il occupe des postes prestigieux à Berlin ou à Oxford, il s'habille comme un étudiant. Il adore le *trekking*, et quand les conférences scientifiques se tiennent non loin d'une montagne, il lui arrive souvent de s'y présenter en vêtement de sport, après avoir été faire de la randonnée. L'anecdote veut d'ailleurs qu'en raison de son accoutrement, on lui ait interdit l'entrée à l'une de ces grandes conférences scientifiques. Ce serait alors Albert Einstein en personne, grand admirateur d'Erwin Schrödinger, qui serait venu au secours du détenteur du prix Nobel.

La situation amoureuse d'Erwin Schrödinger est à l'image de l'idée quantique : superposée, complexe. Pendant un temps, sa femme aura d'ailleurs une relation avec son assistant. Malgré tout, le couple restera uni toute sa vie. Erwin est aussi un intellectuel quantique jusque dans ses questionnements, puisqu'il hésite très longtemps entre l'étude de la physique ou de la philosophie.

Avec un père catholique et une mère protestante et britannique, Erwin Schrödinger est le produit d'une éducation basée sur l'ouverture. En 1887, en Autriche, c'est loin d'être la norme. Il est aussi, très tôt, un jeune polyglotte doué : il parle allemand, français, anglais, espagnol, et il lit le grec ancien. On pourrait également ajouter qu'il comprend parfaitement le langage mathématique.

Peut-être parce qu'il est très cultivé, Erwin Schrödinger ne pense pas que l'Occident se trouve au centre de l'Histoire. Chose rare, même aujourd'hui, dans notre univers intellectuel. S'il peut se targuer de lire Aristote dans le texte, on trouve dans sa bibliothèque autrichienne les traductions allemandes et anglaises de tous les grands textes de la philosophie indienne en langue sanskrite.

Erwin Schrödinger est un jouisseur à la fois sportif et tuberculeux. Comme le raconte l'auteur Charles Antoine dans *Schrödinger à la plage : la physique quantique dans un transat*, le physicien a une relation érotique à la vie et au savoir. Une partie des articles qui l'ont mené au prix Nobel ont été rédigés durant l'hiver 1925-1926 dans une station thermale suisse, Arosa, en compagnie d'une maîtresse mystérieuse. L'histoire doit être véridique, puisqu'elle est racontée par le mathématicien Hermann Weyl, son ami, qui, au même moment, entretenait une relation avec la femme d'Erwin Schrödinger. L'amour quantique, c'est compliqué. Tellement compliqué que, même à Oxford puis à Princeton, cette vie pour le moins particulière le force à quitter les institutions. « L'amour libre », ça ne passe pas, même pour un Prix Nobel.

Quelques ombres au tableau, quantiques elles aussi. Erwin Schrödinger est un antinazi notoire et, dans les années 1930, il quitte Berlin pour protester contre le fait que ses étudiants juifs sont battus par les troupes d'assaut hitlériennes. Mais, en 1938, alors qu'il enseigne en Autriche et que les nazis envahissent Vienne, il signe une lettre odieuse, dans laquelle il vante le régime du Führer — tout ça pour éviter d'être enfermé dans un camp, et dans l'espoir de se trouver un poste de professeur plus prestigieux que celui qu'il occupe. Le jugement d'un grand esprit versé dans les paradoxes peut aussi faire momentanément défaut. C'est peut-être ça, finalement, être quantique.

RÉALITÉ VIRTUELLE

Contrairement à la réalité augmentée (voir référence), où des éléments créés numériquement se superposent aux images réelles, dans le cas de la réalité virtuelle, on se sert de la technologie pour créer un univers artificiel de manière immersive, c'est-à-dire tout autour de l'utilisateur.

La réalité virtuelle peut reproduire le monde réel, comme elle peut inventer un monde de toutes pièces.

L'outil le plus accessible pour se projeter dans ce monde est le casque de réalité virtuelle — fabriqué par Samsung, Oculus VR, Sony, HTC, etc. C'est à la fois un gadget prisé par les joueurs de jeux vidéo et un outil de formation et de simulation utilisé dans divers domaines, du militaire jusqu'au médical.

REDDIT

Site Web d'échange et de discussion fondé en 2005, Reddit est l'un des sites les plus populaires au monde, avec 280 millions d'utilisateurs (dont 87 % ont moins de 35 ans). Il a d'abord été consacré aux contenus liés à la programmation et aux sciences.

Le concept : les utilisateurs soumettent des liens sur le site. S'en suivent une flopée de commentaires.

Reddit est notamment connu pour sa rubrique AMA, « *Ask Me Anything* », dans laquelle des personnalités répondent aux questions des utilisateurs. Des célébrités comme Bill Gates, Barack Obama, Neil deGrasse Tyson, Madonna et Jerry Seinfeld se sont déjà prêtées à l'exercice.

RETRANSCRIPTION EN DIRECT

Début 2015, sur les réseaux sociaux, la diffusion en direct est la saveur du mois : les applications mobiles Meerkat et Periscope (acquise par Twitter avant son lancement) luttent pour s'attirer les faveurs des internautes qui souhaitent diffuser de la vidéo en direct. En août de la même année, c'est au tour de Facebook de lancer une fonction « *live* », qui va vite supplanter en importance ses prédécesseurs sur Twitter, Meerkat (qui cesse ses activités en 2016) et Periscope.

La fonction *live* de Facebook détrône même les pionniers du *live streaming* comme la plateforme Twitch et la fonction « en direct » de YouTube.

REVENGE PORN

Avec les téléphones intelligents et les webcams, les photos ou vidéos intimes ne sont plus choses rares. Le *revenge porn* (littéralement « vengeance pornographique ») ou pornodivulgation, désigne le fait de mettre en ligne du contenu explicite, sans le consentement de la personne qui se trouve sur ce contenu. Le cas typique est celui de l'ex-partenaire amoureux qui se venge ainsi de la peine causée par une rupture.

Certains sites se spécialisent même dans le partage de telles images.

Plusieurs pays (le Japon, l'Allemagne, Israël et le Canada, depuis 2014) et plusieurs États américains ont adopté des lois pour punir les individus qui commettent ce type d'actes.

RFID

Les puces RFID (pour *radio frequency identification*) servent autant à l'identification des animaux qu'aux expériences des *biohackers* (voir référence).

Développée à partir de la Seconde Guerre mondiale, la technique de radio-identification, qui permet de mémoriser des données sur une puce électronique, se perfectionne au fil des décennies, puis se dote au cours des années 1990 de normes permettant d'en faciliter la lecture. Dans les années 2000, cette technologie est très répandue dans de nombreux secteurs industriels, de l'automobile à la santé.

RTB

Le *real time bidding*, ou « achat programmatique », est un mode d'achat publicitaire basé sur un système d'enchères en temps réel, qui a révolutionné le monde de la publicité Web au tournant des années 2010.

Dans les débuts d'Internet, au cœur des années 1990, les annonceurs devaient contacter un par un les éditeurs des sites dans lesquels ils souhaitaient acheter des espaces publicitaires (des bannières). Ce travail était chronophage et coûteux.

La technologie RTB a simplifié les achats d'espaces publicitaires en ligne, en automatisant leur vente sous forme d'enchères effectuées en temps réel. On appelle aussi cette technologie « programmatique », parce qu'elle permet de cibler le public de manière démographique, ou encore de choisir quand la bannière sera diffusée, quelle grandeur elle aura, etc.

Ainsi, quand l'internaute arrive sur un site Web qui utilise le RTB, son profil, ses centres d'intérêt, ou encore sa position géographique sont détectés par la plateforme publicitaire en 120 millisecondes à peine, grâce aux témoins (*cookies*) et aux petits logiciels indiscrets qui se trouvent sur son ordinateur. La plateforme propose aussitôt de l'espace publicitaire à des annonceurs. Celui qui remporte l'enchère voit sa publicité affichée.

Ces inventaires sont achetés sur des *ad exchanges* (plateformes d'achat programmatique), sortes de places de marché de la publicité, qui permettent aux annonceurs et aux éditeurs de se rencontrer.

Avec le RTB, on passe d'un modèle relationnel comportant beaucoup de frictions à un modèle automatisé qui réduit les coûts indirects des campagnes. (Voir *Adblocker*)

SAGE (projet)

Le projet SAGE est un système de défense antiaérienne américain utilisant des ordinateurs capables d'envoyer des données par ligne téléphonique.

SAMSUNG

Fondée en 1938, Samsung est une entreprise familiale coréenne qui est devenue un véritable empire.

En 2019, la compagnie aux dizaines de filiales — de l'électronique au textile, en passant par l'immobilier, les parcs d'attractions et l'armement — est toujours la propriété d'un des fils du fondateur : sans surprise, Lee Kun-hee est l'homme le plus riche de Corée.

Le groupe produit près du cinquième des exportations nationales.

SELFIE (égoportrait)

Chaque année à la même période, l'*Oxford Dictionnary*, référence de la langue anglaise, élit un « mot de l'année », censé refléter l'air du temps. En 2013, un an après la consécration du mot *gif*, le dictionnaire a élu le mot *selfie*, que l'on traduit en français par *égoportrait*.

Selfie est le diminutif de *selfportrait* (*autoportrait* en français). Mais le selfie désigne plus spécifiquement un autoportrait photographique, une photo de soi prise dans un certain contexte, avec un téléphone intelligent, généralement tenu à bout de bras ou fixé au bout d'une « perche à *selfie* », afin d'être publiée sur les réseaux sociaux ou envoyée via une messagerie instantanée. Le *selfie* est le fruit de deux innovations technologiques : le téléphone intelligent muni d'un appareil photo frontal et les réseaux sociaux.

Mais, par la force des choses, le *selfie* est devenu un genre photographique à part entière, une norme photographique qui participe d'une nouvelle esthétique. Un *selfie*, ce n'est ni plus ni moins qu'un autoportrait au téléphone intelligent, une forme moderne des autoportraits de Vincent van Gogh.

Dans leur livre *La naissance de l'individu dans l'art*, les auteurs notent que l'autoportrait est un genre assez récent dans l'histoire de la peinture. En effet, il est apparu aux alentours du XVe siècle, c'est-à-dire à la Renaissance. Parmi les premières œuvres du genre, celle du Hollandais Jan van Eyck, qui se représente dans le miroir entre les époux Arnolfini dans le tableau *Les Époux Arnolfini* (1434).

Le contexte social expliquerait l'apparition de l'autoportrait. La Renaissance est un moment historique où l'individu devient de plus en plus autonome, indépendant du groupe. Parallèlement, l'artiste est de moins en moins considéré comme un témoin du divin, pour devenir un œil qui enregistre la réalité.

Le *selfie* est le descendant de l'autoportrait, à une époque où la technologie nous permet de nous autoreprésenter à la vue du plus grand nombre. Nos téléphones sont nos pinceaux, et les réseaux sociaux sont nos musées.

Certains, comme le journaliste Will Storr, militent pour qu'on traduise le mot *selfie* par *égoportrait*, pour faire valoir l'aspect narcissique du terme. Pour lui, l'égoportrait serait la forme suprême de l'individualisme et du néolibéralisme. La critique du narcissisme existe depuis la fin des années 1970, notamment soutenue par les travaux de Christopher Lasch dans son essai *La culture du narcissisme*.

Généraliser ce terme à toutes les pratiques de mise en scène et de diffusion de sa propre image pose toutefois bon nombre de problèmes. D'une part, il ne faut jamais oublier qu'il y a souvent une bonne dose d'ironie et d'absurdité dans les *selfies*. Le jeu consiste généralement à se prendre en photo dans des poses et des lieux inappropriés et incongrus, à se mettre en scène dans une situation cocasse.

Mais André Gunthert, chercheur en culture visuelle, affirme que le *selfie* va bien au-delà du simple narcissisme. Selon lui, nous usons de ces autoportraits photographiques pour chercher à créer un lien et non pour tomber dans l'autocontemplation égoïste et solitaire. Narcisse ne cherchait pas d'interaction, il n'aurait jamais publié son portrait sur Facebook. Nous ne sommes donc pas narcissiques.

L'essence du *selfie* n'est pas de montrer sa face pour montrer sa face : l'image de soi est un prétexte pour raconter une histoire, pour parler d'une situation. On montre un moment de notre vie à nos familles, à nos amis, à nos proches, pour amorcer un dialogue, de la même manière qu'on dirait « Bonjour ! » ou « Quoi de neuf ? »

Pour André Gunthert, le *selfie*, c'est de l'esthétique conversationnelle.

Nos
téléphones
sont nos
pinceaux,
et les
réseaux
sociaux
sont nos
musées

SÉRENDIPITÉ

Un coup de dés jamais n'abolira le hasard, écrivait Stéphane Mallarmé. Mais il favorisera peut-être la sérendipité. *Sérendipité* est un mot étrange, qui ne figure pas encore dans le dictionnaire, mais qui devient de plus en plus populaire dans le domaine des sciences, de la gestion (*management*) et du Web. On pourrait donner une première définition : c'est le don de faire des trouvailles de manière accidentelle.

Le terme provient d'un vieux conte persan du XIVᵉ siècle, relatant l'histoire des trois princes de Sérendipité qui partent de leur contrée pour voir du pays. Au cours de leur voyage, ils suivent des traces d'animaux, reconstituent des événements et découvrent des choses merveilleuses. Une structure classique du conte : un personnage découvre au cours de ses pérégrinations des choses qu'il n'aurait pas dû savoir, comme Sindbad le marin, Homère lors de son Odyssée, ou Bilbo le Hobbit.

Cette fable sera reprise au XVIIIᵉ siècle par un collectionneur du nom d'Horace Walpole, qui donnera à la sérendipité sa définition moderne : « C'est l'art de trouver, par hasard et sagacité, des choses qu'on ne cherchait pas. »

La sérendipité est liée à des avancées célèbres dans le domaine scientifique. On sait par exemple que le médecin biologiste Alexander Flemming a découvert par inadvertance le champignon *Penicillium notatum*, qui donnera la pénicilline (et plus tard les antibiotiques) en oubliant ses boîtes de Petri pendant ses vacances. Il avait la réputation d'être tête en l'air. C'est l'archétype de la découverte aléatoire.

Aujourd'hui, Internet constitue le haut lieu de la sérendipité : on a toujours l'impression d'y découvrir par hasard une information qu'on ne cherchait pas. La démarche des internautes est propice aux associations d'idées. C'est une navigation non linéaire, hypertextuelle, une dérive, une déambulation hasardeuse de lien en lien. Elle incite à la flânerie et au voyage.

Toutefois, comme le disait Louis Pasteur, « dans les sciences de l'observation, le hasard ne profite qu'aux esprits préparés ». Ce n'est pas le hasard qui est responsable de la découverte de la pénicilline, mais la rencontre entre ce hasard et le génie de Fleming, qui a compris le rôle du *Penicillium notatum* sur les staphylocoques.

Le Web fourmille d'outils de sérendipité : on peut penser au bouton « J'ai de la chance » sur Google, ou aux rubriques « Article au hasard » de Wikipédia. Le moteur de recherche Oamos quant à lui présente les résultats de votre recherche de façon totalement désordonnée : les images, les textes, les vidéos sont entremêlés. De nouveaux résultats apparaissent, chassent les anciens, défilent.

SEXE

Le sexe avec des robots ne sera bientôt plus l'apanage des séries de fiction. Matt McMullen, l'inventeur des RealDolls, des poupées sexuelles personnalisables qui peuvent coûter jusqu'à 12 000 $ américains, croit que l'intelligence artificielle permettra bientôt de les rendre encore plus « réelles ».

Ces avancées provoquent quelques inquiétudes : en septembre 2015, la chercheuse britannique en éthique et robotique Kathleen Richardson a lancé la Campaign Against Sex Robots. Dans une conférence sur le sujet en juin 2016, elle affirmait que le développement des robots sexuels risque d'objectifier davantage le corps de la femme et aussi, à long terme, de « réduire la capacité humaine à l'empathie ».

SIÈGE SOCIAL D'APPLE

À l'automne 2017, à Cupertino, en plein cœur de la Silicon Valley, Apple (voir référence) dévoile son tout nouveau siège social. L'Apple Park, ambitieux projet qui remplace Infinite Loop, l'ancien campus d'Apple, a la capacité d'accueillir 12 000 travailleurs. C'est, en quelque sorte, le dernier legs de Steve Jobs, qui avait présenté les plans conçus par l'architecte Norman Foster quelques mois avant sa mort.

Le bâtiment surprend de par son architecture futuriste, la mise en valeur de l'environnement qui l'entoure (il y a plus de 9000 arbres sur le site) et les services offerts aux employés : salles de sports, centre médical, etc. Par contre, l'absence de garderie en milieu de travail a beaucoup déçu, un oubli souligné dans plusieurs médias lors du dévoilement du nouveau siège social.

SILICON VALLEY

Frederick Terman, professeur au département d'ingénierie électrique de l'université Stanford (voir référence) dans les années 1920, se désole de voir tous les diplômés déménager vers la côte est des États-Unis. Lorsqu'il devient chef de son département, il multiplie les initiatives pour motiver l'entreprenariat dans la grande région entourant l'université. Dans les années 1950, la population de la ville de Palo Alto, souvent désignée comme « le berceau de la Silicon Valley », double.

La suite est passée à l'histoire : la région de la Silicon Valley est désormais l'un des principaux pôles de développement technologique dans le monde.

SINGULARITÉ (technologique)

Théorie selon laquelle l'accélération de l'évolution technologique, principalement en ce qui concerne l'intelligence artificielle, provoquera la fin de l'espèce humaine telle qu'on la connaît, ou la fusion de l'être humain et de la machine.

Portée par un mouvement techno-politique utopiste, la singularité se positionne comme l'aboutissement de l'accélération de l'évolution technologique, principalement avec le développement de l'intelligence artificielle, un long processus qui aurait commencé avec la création des premiers ordinateurs dans les années 1950. Plusieurs spécialistes de ce mouvement, qui ne sont pas particulièrement technophobes, comparent ses adeptes à des fondamentalistes religieux.

SLOW TV (télévision lente)

Voici la définition qu'en donne Véronique Marino, directrice du programme Médias interactifs de L'inis (Institut national de l'image et du son) :

« Genre télévisuel assimilable à du taï-chi ou à un exercice de respiration profond et lent. Très lent. Très très lent. »

Le concept : des caméras embarquées qui filment, en direct et sans aucune interruption, le trajet en train entre Oslo et Bergen pendant 7 heures, ou un bateau qui cabote le long des côtes danoises pendant 13 heures, ou encore la remontée des saumons dans une rivière pendant 18 heures. C'est aussi le Canal 10 de notre enfance, avec son feu crépitant sans fin entre minuit et 6 heures du matin.

La *slow TV* est un accident télévisuel apparu sur la chaîne nationale danoise NRK2 en 2009 avec le film de Rune Moklebust et Thomas Hellum. Depuis, le genre a acquis un fort pouvoir d'attraction, basé sur l'idée que la *slow TV* est comme la vie : ennuyeuse, certes, mais ponctuée de moments plus intenses qu'on ne peut pas s'empêcher d'attendre. L'essence du suspens.

Depuis 2009, les deux réalisateurs, qui n'en reviennent toujours pas de l'audace qu'ils ont eue, ne cessent de repousser les limites du temps et des sujets. Leurs programmes sont maintenant attendus comme des respirations, une promesse d'aventure, les jeux olympiques du *storytelling*. La télévision nationale danoise s'est donné pour mission de mettre de la *slow TV* en ondes chaque fois que c'est possible. À travers le monde aussi (Russie, France, Grande-Bretagne, États-Unis), des émissions de *slow TV* voient le jour, et leur pouvoir d'attraction surprend.

Alors, la prochaine fois que vous regarderez en cachette un feu crépitant sur YouTube, n'ayez plus honte. Vous n'êtes pas un être nostalgique, vous êtes simplement devenu dépendant à la *slow TV*.

SNAPCHAT

Application de partage de photos et de vidéos, utilisée en très grande majorité par des jeunes de moins de 25 ans. Elle est créée en 2011 par Evan Spiegel et Bobby Murphy, deux étudiants de l'université Stanford (voir référence) et connaît d'emblée un succès fulgurant.

En 2013, la jeune entreprise refuse des offres d'achat pourtant terriblement alléchantes, notamment celle de Facebook, qui lui propose 3 milliards de dollars américains.

Si les personnes plus âgées ont souvent du mal à saisir l'intérêt du partage de photos instantanées, il semblerait pourtant, comme l'ont démontré des chercheurs du Michigan, que les interactions sur Snapchat soient plus enrichissantes pour les utilisateurs que les échanges qui interviennent sur d'autres réseaux sociaux.

SNOWDEN, EDWARD

Cet informaticien américain né en 1983 en Caroline du Nord est l'un des plus célèbres lanceurs d'alerte des dernières décennies.

Entre 2004 et 2013, Edward Snowden occupe divers emplois qui touchent à la sécurité informatique. Il travaille notamment pour la National Security Agency (NSA) et la Central Intelligence Agency (CIA). C'est durant cette période qu'il mesure l'ampleur de la surveillance dont sont sujets les Américains.

Alors qu'il est en poste à Hawaï, au printemps 2013, il copie sur une clé USB les preuves de cette surveillance de masse. Il fait part de ses révélations aux médias, notamment *The Guardian* et *The Washington Post*, qui rendent l'information publique. À partir de ce jour de juin 2013, la donne en ce qui a trait à la surveillance généralisée des populations du monde est changée à jamais.

Les articles révèlent que la NSA enregistre un grand nombre d'informations personnelles au sujet des citoyens américains — entre autres, des appels téléphoniques, des données de navigation sur Internet... Si personne ne doutait des capacités de la NSA à espionner des étrangers ou des personnes soupçonnées de terrorisme, le fait que la surveillance concerne l'ensemble de la population fait scandale.

Le 22 juin de la même année, le gouvernement américain accuse Edward Snowden d'espionnage, de vol et d'utilisation illégale de biens gouvernementaux.

Notamment grâce à l'aide de l'avocat d'origine canadienne Robert Tibbo, Edward Snowden réussit à quitter Hong Kong, où il était installé lorsque les révélations ont été publiées. Il obtient le droit d'asile temporaire en Russie, où il vit depuis lors.

SOLUTIONNISME TECHNOLOGIQUE

Terme inventé par le penseur critique Evgeny Morozov, et qui désigne une philosophie selon laquelle chaque aspect de la société (sécurité, transport, santé, éducation, politique, alimentation) n'est en réalité qu'un problème à résoudre.

Ce chercheur d'origine biélorusse et établi aux États-Unis est devenu en quelques années l'un des penseurs les plus critiques du numérique. Il s'attaque à l'utopie technologique qu'il voit comme une extension du discours néolibéral.

Evgeny Morozov explique que le solutionnisme est « une pathologie intellectuelle qui reconnaît les problèmes comme des problèmes sur la base d'un seul critère : peut-on les résoudre par une solution techno-logique propre et agréable à notre disposition ? » Il s'agit de repenser toutes les problématiques sociales complexes comme des problèmes pré-cis ayant des solutions calculables et pouvant être facilement optimisés, notamment par l'usage d'algorithmes.

Pour Evgeny Morozov, la Silicon Valley est le berceau du solutionnisme, et le solutionnisme est l'idéologie de la Silicon Valley. Tout doit être fait pour gommer les défauts du système, atteindre la perfection, augmenter l'efficacité.

Evgeny Morozov a emprunté le terme au monde de l'architecture et de l'urbanisme, où il fait référence à des solutions sexy, monumentales et étroites d'esprit.

SPACEWAR!

Tout premier jeu vidéo commercial, *Spacewar!* est un jeu de combat spa-tial. Il est développé au MIT (voir référence) à partir de 1961 par Steve Russell et ses étudiants. Il est lancé l'année suivante.

Spacewar! est l'un des fondements de ce qu'on appelle les jeux inte-ractifs. Et accessoirement, la folie des *shoots* à la fin des années 1970 et au début des années 1980 est due à ce jeu.

STANFORD

L'université californienne située au sud de San Francisco peut revendiquer de nombreuses innovations depuis sa fondation en 1891, comme le système DSL (voir référence), les bioplastiques et Google (voir référence).

Les diplômés auraient, selon l'université, été à l'origine de la création de près de 40 000 compagnies depuis les années 1930. Frederick Terman, recteur à Stanford de 1955 à 1965, est considéré comme le père de la Silicon Valley (voir référence). C'est lui qui a donné l'élan initial pour que la région qui entoure l'université devienne un haut lieu des entreprises en démarrage.

START-UP

(Voir *Jeune pousse*)

SWARTZ, AARON

Aaron Swartz (1986–2013) est un programmeur informatique et un hacktiviste.

Il consacre sa brève mais flamboyante carrière à la défense de la liberté numérique, la « culture libre ». Il participe au développement du format flux RSS et des licences Creative Commons. Il met fin à ses jours en 2013. Les médias et ses fans associent ce drame au procès qu'il devait subir un peu plus tard : il avait été accusé par le FBI d'avoir téléchargé un grand nombre d'articles scientifiques depuis le MIT. Se basant sur ses écrits et ses positions en faveur de la liberté d'Internet, le FBI avait estimé qu'il les destinait à une diffusion gratuite.

Les plus grands penseurs du Web — Tim Berners-Lee, Lawrence Lessig — comme des milliers d'internautes attristés ont par la suite souligné l'ampleur et l'importance de sa brève contribution au domaine.

TENCENT

Première capitalisation boursière d'Asie, Tencent est une entreprise basée à Shenzhen qui a été fondée en 1998. La compagnie chinoise est derrière la singulière application mobile de messagerie textuelle et vocale WeChat (Weixin), qui compte près d'un milliard d'utilisateurs.

TRANSHUMANISME

Le transhumanisme est un mouvement culturel et un concept philosophique qui prône l'usage des technologies informatiques et biotechnologiques pour améliorer l'espèce humaine.

Le terme est formé du préfixe « trans » qui souligne le changement, le passage, et du mot « humanisme », une théorie qui vise l'épanouissement de l'être humain. Le transhumanisme transcende les limites de l'humain grâce à des procédés techniques (exosquelettes, manipulations génétiques, interfaces homme-machine). La finalité est d'obtenir une humanité améliorée dans la figure du posthumain.

Le transhumanisme touche aux mœurs et remet en question le socle moral judéo-chrétien sur lequel est fondée la culture occidentale.

Le christianisme dit que le passage d'une humanité à une autre est celui de la vie terrestre à la vie céleste. Il faut accepter sa condition sur terre, mener une bonne vie, pour atteindre l'au-delà. Le transhumanisme, à l'inverse, se caractérise par une insatisfaction face à la condition humaine, un refus de ce que nous sommes. Les transhumanistes considèrent que l'être humain n'est pas fini, qu'il est perfectible, non pas par la morale ou la vertu, mais par la technoscience.

Les transhumanistes estiment que les innovations visent à surmonter un handicap ou à éliminer une souffrance. L'homme normal est handicapé de nature. Son corps est de plus en plus obsolète face à l'avancée inéluctable du progrès. Son cerveau n'arrive plus à suivre la cadence effrénée du monde moderne. Il faut donc l'appareiller avec des prothèses, des greffes, des implants, du silicium pour démultiplier sa force, sa concentration, sa mémoire.

Le transhumanisme est un pur produit du matérialisme, le corps y est vu comme un objet en plastique, un objet perméable, qui s'hybride avec

la technique. Le christianisme oppose quant à lui ce « corps-objet » au « corps naturel », ce dernier étant, pour le chrétien, le corps donné par Dieu. Prétendre pouvoir améliorer ce corps revient à dire que Dieu n'aurait pas parachevé Sa création. Ce qui est une hérésie. D'autre part, le corps « chrétien » est aussi le lieu de la mortalité et de la souffrance. Dans la religion chrétienne, la chair est la source de la morale, l'amélioration de l'homme et l'acquisition des vertus passent par une quête interne qui se matérialise souvent par un renoncement aux plaisirs de la chair.

Pour le transhumaniste, la modification de la condition humaine passe par une déclaration de guerre à la mort : il faut transformer l'homme pour qu'il devienne éternel. Dans un premier temps, on tente de repousser la mort au maximum en luttant contre les maladies ou le vieillissement, à l'image de Raymond Kurzweil (voir *Kurzweil, Raymond*), qui s'alimente avec des pilules afin de reprogrammer son ADN et d'accroître sa longévité. Ultimement, l'objectif est de faire disparaître la vieillesse et d'éliminer la mort en se maintenant artificiellement en vie. Et pourquoi pas même transférer notre intelligence sur un serveur ?

Le père Jean Boboc explique dans *Le transhumanisme décrypté* que « la doxa chrétienne veut régénérer une nature qui est devenue contre nature depuis la chute, le transhumanisme cherche tout le contraire, il veut abolir la mort ». Pour le chrétien, la mort est le début du voyage et elle l'emmène vers la *theosis*, c'est-à-dire sa propre déification. La mission du christianisme est de restaurer la perfection initiale, celle du jardin d'Éden, et cette perfection ne peut advenir qu'après la mort, l'abandon du corps (lieu de péché), la résurrection finale en Jésus-Christ. Pour le chrétien, la mort est une victoire et le salut céleste vient après la mort.

Le transhumanisme prône tout le contraire : il entend préserver le corps et abolir la mort. C'est une religion qui repose sur le salut de l'homme par lui-même, avec la seule aide de la technoscience. Le transhumanisme est une sorte d'ultra-matérialisme, qui a comme seul point commun avec les autres religions la promesse d'immortalité.

TRUMP'S TROLL ARMY

Les *4channers* (voir *4chan*) de l'armée des trolls de Donald Trump (*Trump's Troll Army*), qu'ils ont baptisé leur Dieu-Empereur, pensent lui avoir permis de devenir président des États-Unis. Un *4channer* résume la chose en déclarant : « Nous avons réussi à faire élire un mème Internet comme président. »

TURC MÉCANIQUE

Amazon Mechanical Turk (en français « Turc mécanique d'Amazon ») est une plateforme de microtravail lancée par Amazon en 2005. Elle met en relation des donneurs d'ordres et des fournisseurs de services. Décrite par Amazon comme une « intelligence artificielle », cette plateforme est une sorte de supercherie contemporaine, qui en réalité impose à des êtres humains d'exécuter des microtâches répétitives destinées à alimenter les services numériques en ligne.

Elle doit son nom à un illustre prédécesseur. En 1770, l'inventeur hongrois Johann Wolfgang von Kempelen dévoilait à la cour de l'impératrice Marie-Thérèse d'Autriche sa toute nouvelle création : le Turc mécanique, un automate capable de jouer aux échecs.

Le Turc, comme on le conçoit à l'époque, est habillé à l'orientale et se tient assis sur un meuble, renfermant un imposant mécanisme d'horlogerie. Wolfgang von Kempelen assurait que ce mécanisme était si complexe que son Turc pouvait battre n'importe qui aux échecs. Le Turc fut immédiatement mis à l'épreuve par les membres de la cour, et ce jour-là, tous ceux qui l'affrontèrent perdirent, sans exception. Sa légende était faite.

Le Turc mécanique a connu une assez longue carrière (de près de 80 ans) et plusieurs propriétaires. Il a affronté les meilleurs joueurs de la planète et il a gagné la plupart de ses duels, notamment contre Benjamin Franklin et Napoléon Bonaparte. Bien avant le superordinateur Deep Blue (qui a battu le champion d'échecs Garry Kasparov en 1996), le logiciel d'intelligence artificielle Watson conçu par IBM et qui a gagné au jeu télé *Jeopardy!* en 2011, ou encore AlphaGo de Google DeepMind qui a battu cette année le champion de jeu de go Lee Sedol, le Turc mécanique était la première forme d'intelligence artificielle.

Le parcours du Turc mécanique s'est terminé en 1854 dans un incendie. Trois ans plus tard, le fils du dernier propriétaire révéla son secret : le Turc était en fait actionné de l'intérieur par un joueur d'échecs, dissimulé sous la table. Une quinzaine de champions d'échecs s'étaient tour à tour succédé pour actionner le Turc. C'est assez prodigieux qu'on ait pu garder le secret si longtemps.

Amazon a repris le concept avec son Amazon Mechanical Turk. Le principe est simple : d'un côté, il y a des entreprises, qui proposent des microtâches auxquelles sont associées des rémunérations minimes (5 ou 10 sous par tâche) et un temps alloué, et de l'autre côté, il y a des travailleurs, qui s'inscrivent au service à l'aide de leur identifiant Amazon et qui choisissent les tâches qui les intéressent.

Les tâches sont assez simples et très répétitives : principalement de la saisie de données, comme la retranscription de tickets de caisse (pour 1 $ de l'heure… si vous êtes bon), la traduction et la retranscription de sous-titres (sous les vidéos), ou encore le « taggage » (identifier et classer des objets sur une image et nommer ces objets pour l'apprentissage profond).

Toutes ces tâches paraissent automatisées aux yeux de l'utilisateur. Mais en fait, c'est un être humain qui les accomplit pour un salaire dérisoire. Si ces entreprises recourent à des êtres humains plutôt qu'à des machines, c'est parce que les tâches des « turqueurs » (comme on les appelle) sont trop complexes pour l'intelligence artificielle. Malgré les progrès de l'informatique, il est encore compliqué pour un ordinateur d'identifier du texte sur une image, de classer des images en catégories, de traduire des phrases en temps réel, d'analyser des commentaires sur les réseaux sociaux (les logiciels ne comprennent pas le sarcasme), etc.

L'existence de cette plateforme est la preuve qu'il y a un décalage entre le discours techno-prophétique de la Silicon Valley, qui avance par exemple que « des algorithmes seraient capables de vous livrer vos marchandises avant même que vous n'ayez pensé les acheter » et la réalité. La Silicon Valley est comme Hollywood : c'est un monde qui crée sa propre légende par le discours. Une légende qui est aussi faite de hauts salaires et de conditions de travail exemplaires (comme celles que décrit Dave Eggers dans *Le Cercle*).

Mais le Turc mécanique d'Amazon nous fait réaliser que cette élite véhicule aussi un projet économique basé sur l'utilisation d'un sous-prolétariat mondialisé. Amazon recrute principalement en Inde, mais aussi, étonnement, aux États-Unis une nouvelle main-d'œuvre, sans contrat, sans fiche de paie, sans couverture sociale, qui travaille pour quelques sous.

Est-ce que le Turc mécanique préfigure le travail de demain ? Un travail décentralisé, précaire, flexible, sans grève, sans perspective…

La logique du Turc s'attaque désormais au travail créatif, avec des entreprises comme *StartUp Fiverr*, qui peut vous mettre en contact avec des intermédiaires capables de produire un logo pour 5 $, d'écrire une biographie pour 15 $, ou encore de produire une vidéo pour moins de 100 $.

La flexibilité est devenue une réalité du monde du travail, alors que 40 % des travailleurs américains sont des travailleurs autonomes.

Avec l'avancée de l'intelligence artificielle et de l'apprentissage profond, les tâches numériques simples et répétitives sont toutefois amenées à disparaître progressivement. Les *turkers* « nourrissent » une I.A. qui apprend et se raffine au fur et à mesure qu'elle ingurgite une masse toujours plus grande de données. Le sociologue français spécialiste des réseaux sociaux Antonio Casilli qualifie d'ailleurs le Turc mécanique d'Amazon de « centre d'élevage d'algorithmes ».

TURING (boîte de)

Un algorithme, ce n'est pas très compliqué : c'est une suite d'opérations. Pensez à une recette. Sauf que. Les algorithmes peuvent aujourd'hui faire des dégâts considérables si on les lâche dans la nature, comme si on laissait une population de prédateurs envahir une île où il étaient auparavant absents. Mais alors, si les algorithmes peuvent se comporter en prédateurs, c'est qu'ils montrent qu'ils peuvent adopter des « comportements ».

Étudier un algorithme comme un rat dans une cage ? L'idée est moins saugrenue qu'on pourrait le croire. À preuve, la « boîte de Skinner », un dispositif inventé au début des années 1930 par le psychologue behavioriste Burrhus Frederic Skinner pour tester, dans un environnement contrôlé, les mécanismes du conditionnement des comportements. Le fils spirituel de Pavlov et de son chien qui salive au son d'une cloche, c'est lui.

Quatre-vingt-cinq ans plus tard, la boîte de Skinner pourrait nous aider à mieux comprendre les algorithmes de l'intelligence artificielle. C'est en tout cas l'idée audacieuse que vient de lancer une équipe du MIT (voir référence) menée par Iyad Rahwan et Manuel Cebrian.

Pour ces deux chercheurs, les algorithmes ont trop d'influence sur notre vie pour être laissés entre les seules mains d'ingénieurs et de mathématiciens. Cette boîte, un terrain d'expérimentation virtuel, pourrait d'ailleurs permettre à des personnes ne connaissant pas le code de les étudier comme des petites bêtes. Iyad Rahwan et Manuel Cebrian en appellent même à la création d'une science des comportements... artificiels.

Selon eux, il serait urgent d'analyser les algorithmes non pas comme des lignes de codes, mais comme des entités artificielles semi-autonomes.

Dans un futur très proche, vous pourriez vous voir refuser un emploi sur une base algorithmique

L'étude de leurs comportements est au moins aussi importante que l'étude de leurs composantes. L'algorithme est un animal.

Comme l'a démontré le programme AlphaGo de Google DeepMind, qui a battu sans appel un champion international du jeu de go, on ne pouvait pas prédire les coups fumants de la machine simplement en « ouvrant le capot » et en regardant son algorithme. Il fallait mettre AlphaGo dans son environnement naturel et l'observer. Parce que tous les comportements ne sont pas écrits dans le code. Parce que ce code est programmé précisément pour être capable de réagir aux changements de l'environnement en modulant ses paramètres intérieurs.

C'est un peu comme lorsque l'on se frotte vigoureusement les mains pour se réchauffer en hiver. Inutile de connaître la loi physique de la friction pour comprendre que ça fait du bien. Notre algorithme a appris que ça réchauffait ; il le fait naturellement.

Les chercheurs du MIT souhaitent adapter les principes de la boîte de Skinner à l'intelligence artificielle avec ce qu'ils ont nommé la boîte de Turing en hommage à Alan Turing.

Exactement comme la boîte de Skinner permettait de changer les stimuli pour observer le comportement, la boîte de Turing place l'algorithme dans un environnement contrôlé afin de voir comment il fonctionne, sans nécessairement devoir en connaître le code.

Les deux chercheurs soulignent que, lorsqu'on laisse aux seuls ingénieurs le soin de créer des algorithmes, ces derniers peuvent être extrêmement bien optimisés pour réaliser une tâche tout en discriminant un groupe de personnes. Et comme il existe souvent un univers entre la manière dont on écrit le code et celle avec laquelle il se déploie dans son environnement, pouvoir l'étudier dans une « cage » avant de le laisser voler de ses propres ailes relève d'un sain principe de précaution.

Le but de l'opération est double. D'une part, il s'agit de démocratiser l'étude de ce code, qui a un impact majeur sur nos vies — phénomène qui va aller en augmentant. Il se peut qu'un codeur juge son algorithme parfait, alors que dans les faits, sa créature est biaisée à cause des données avec lesquelles on l'a nourrie.

Dans un futur très proche par exemple, vous pourriez très bien vous voir refuser un emploi sur une base algorithmique. Le cas échéant, vous aimeriez sûrement savoir comment cet algorithme a réagi dans une boîte de Turing lorsqu'on lui a présenté divers profils de demandeurs d'emploi. Est-ce qu'il réagit différemment en présence de gens de couleur, de femmes, de gens ayant un surplus de poids, de banlieusards, d'hommes âgés, etc. ?

D'autre part, cette boîte pourrait ultimement mener à un processus de certification fiable pour les algorithmes. Les réseaux neuronaux sont des petites bêtes dont le fonctionnement interne est souvent difficile à étudier.

L'algorithme de recommandation de Facebook, par exemple, EdgeRank, est notoirement secret. La compagnie n'a jamais voulu ouvrir son capot. Secret d'État. Il serait intéressant de le soumettre à une boîte de Turing, ne serait-ce que pour lui ouvrir le capot en « laboratoire ».

Cela dit, même si on connaît le code d'un algorithme, il comporte une « boîte noire », dont même les scientifiques ne maîtrisent pas encore tous les ressorts. En clair, ces algorithmes réussissent des tâches sans qu'on comprenne toujours pourquoi. D'où l'importance de se concentrer davantage sur les effets visibles de ces codes. Les comportements.

Sommes-nous à l'aube de la naissance d'une science des comportements artificiels ? Étudier les algorithmes comme des agents artificiels doués d'autonomie, comme des petits animaux, serait-il une manière de mieux les comprendre pour, au final, mieux les encadrer ?

TWITCH

Emmett Shear et Justin Kan sont amis depuis le secondaire, ils sont allés au collège ensemble. Leur passion : le développement Web.

En 2004, à tout juste 20 ans, ils décident de lancer leur compagnie. Gmail, la messagerie de Google, vient tout juste d'être lancée et connaît un succès important (rappelez-vous des fameuses invitations). Ils remarquent l'absence de calendrier Gmail et proposent de le développer. Ils conçoivent un prototype, puis une version téléchargeable, que les utilisateurs adorent et… catastrophe. L'année suivante, Gmail sort son propre calendrier… (Google Calendar). Ils en tirent une leçon : ne jamais être dépendant de la plateforme d'un autre.

Justin et Emmet sont désœuvrés, ils passent les mois suivants à manger des chips, à boire des bières et à jouer aux jeux vidéo dans leur divan. Cette pause va néanmoins être salvatrice.

Elle va leur permettre de trouver une idée révolutionnaire : s'enregistrer en train de brainstormer et diffuser le tout en direct. Justin va encore plus loin : « Et si je diffusais toute ma vie en direct sur Internet ? »

Ils trouvent du financement et déménagent à San Francisco, où ils travaillent trois mois sur le projet. En mars 2007, Justin Kan lance son expérience et vit en permanence avec une webcam et un micro accrochés à sa casquette, le tout retransmis en direct sur le site Justin.tv.

Des gens visitent le site par curiosité et Justin devient une mini-célébrité. Mais très vite l'engouement se tarit parce que le contenu, il faut bien l'avouer, est d'un ennui mortel.

Justin et Emmet comprennent très rapidement que les gens ne veulent pas simplement regarder Justin, ils veulent être Justin. Alors pourquoi ne pas permettre à tout le monde de publier de la vidéo en direct ? Les investisseurs, encore une fois, adorent l'idée ; rappelons qu'un an auparavant, YouTube avait été vendu à Google pour un milliard de dollars.

En juin, la nouvelle version du site est lancée et le succès est au rendez-vous : un million de visiteurs visitent le site et diffusent un peu de leur vie quotidienne. Mais dans le Web, plus de trafic implique plus de problèmes, ce qui a obligé les fondateurs de YouTube à vendre leur plateforme. La hausse de trafic multiplie les problèmes techniques (surtout lorsqu'il s'agit de vidéo) et oblige à investir massivement en ressources qualifiées et en architecture technologique dispendieuse.

Justin est aussi victime de harcèlement et de commentaires violents qui se multiplient et exigent une modération. Dernier problème — et non des moindres : les utilisateurs se mettent à retransmettre les programmes diffusés sur le cable (football, baseball, télévision à la carte, etc.).

À l'été 2010, la compagnie n'a toujours pas trouvé de sources de revenus suffisantes et les poursuites pour violation de droits d'auteur se sont multipliées. Justin et Emmett n'ont plus un sou et vont devoir fermer.

Google est prêt à les racheter pour 30 millions de dollars, mais se ravise : Justin et Emmett ne sont pas assez expérimentés selon eux. C'est l'humiliation.

Les deux fondateurs ont une idée pour sauver Justin.tv : monétiser tous les espaces disponibles sur le site avec de la publicité : vidéos publicitaires en *autoplay*, bannières partout. Ils décident de sacrifier l'expérience utilisateur sur l'autel de la rentabilité. Et contre toute attente, cela fonctionne : après trois mois seulement, Justin.tv est rentable pour la première fois de son existence.

Lors d'une conversation avec l'un de leurs amis qui a travaillé pour Facebook et YouTube, ce dernier les met en garde : Justin.tv est profitable mais pas pérenne ; les deux acolytes travaillent à courte vue. Le site est bourré de publicité de mauvaise qualité et voué à l'oubli, parce que ce qu'il vend est insignifiant. Il leur donne un conseil : « Trouvez quelque chose de vrai à donner aux gens. »

Cette discussion va profondément les marquer. À tel point qu'ils se posent une question très simple mais fondamentale : qu'est ce que Justin et Emmett aiment regarder quand ils sont sur Justin.tv ? La réponse les surprend : ils aiment tous les deux regarder de très bons joueurs jouer au jeu vidéo *StarCraft*.

Peu importe si les chaînes de jeux vidéo représentent seulement 2 % du traffic de Justin.tv, ils ont trouvé leur raison d'être. Les deux créateurs se remettent au travail et développent une façon de redonner de l'argent aux joueurs-diffuseurs. La plateforme prend un nouveau nom, Twitch, et trois ans plus tard, elle est rachetée par Amazon pour 970 millions de dollars américains, soit 30 fois l'offre de Google. (Voir *E-sport*)

TWITTER

Site de microblogage lancé en 2006. À son apogée, en 2012, le site rassemble 500 millions d'utilisateurs actifs.

UBÉRISER

Le verbe *ubériser* est un néologisme inventé par l'homme d'affaires français Maurice Lévy, président du directoire de Publicis Groupe, troisième plus grand groupe publicitaire dans le monde, à partir du nom de l'entreprise de technologie américaine Uber. L'ubérisation, c'est l'innovation de rupture : une invention qui détruit les anciennes pratiques, dérégule les systèmes légaux en place et force l'industrie à se réinventer.

Lors d'une entrevue donnée en décembre 2014 au réputé *Financial Times*, Maurice Lévy expliquait que la nouvelle inquiétude des patrons (et donc de ses clients) était de « se faire ubériser ».

L'application Uber, qui permet à tout un chacun d'offrir ou d'obtenir des services de taxi de la part de citoyens lambda, est devenue un phénomène populaire, mais aussi un modèle économique. On parle désormais de « *Uber-like services* » pour désigner des services technologiques qui ont emprunté leur fonctionnement à Uber. Par exemple, Airbnb, qui permet de trouver ou de proposer des logements entre particuliers ; BlaBlaCar, qui permet de sous-louer une auto quand on ne s'en sert pas ; Lending Club, qui permet de contracter un prêt entre particuliers ; Roadie et Shyp, qui mettent en relation des individus qui vont sur la route avec ceux qui ont un colis à faire livrer ; NeighborGoods, qui permet de louer n'importe quel outil à un voisin… La liste est sans fin.

On qualifie souvent cette nouvelle économie d'*économie de partage*. On pourrait aussi parler d'*économie de l'excès*, puisqu'on partage surtout ce qu'on a en trop, dans un contexte de société de consommation. Quand on sait par exemple qu'il y a 18 millions de perceuses dans les foyers américains. La durée de vie utile d'une perceuse achetée sur le territoire américain est de 30 minutes… NeighborGoods vous offre la possibilité d'optimiser votre investissement en louant ce bien à votre voisin. L'ubérisation permet de rentabiliser cette faiblesse d'utilisation.

Mais l'ubérisation, c'est encore l'irruption, dans un secteur, d'un nouvel acteur transnational, qui a été généralement financé par le capital-risque, qui se moque des frontières commerciales, et qui bouscule tout sur son passage. Cette ubérisation a plusieurs caractéristiques : elle est rapide, invisible et elle fait peur, très peur.

Comme le dit Maurice Lévy, se faire ubériser, « c'est l'impression qu'on se réveille un matin en découvrant que son activité historique a disparu... ». Née en 2009, Airbnb est déjà la quatrième chaîne hôtelière la plus cotée dans le monde, derrière InterContinental, Hilton, et Marriott

International. En 2015, Airbnb était estimée à 10 milliards de dollars américains, soit 3 milliards de plus que la chaîne d'hôtels Hyatt. Uber est née en 2010, et est déjà la plus grande compagnie de taxi au monde. Elle est valorisée à 40 milliards de dollars américains.

Uber fait d'autant plus peur qu'elle a l'air d'être invisible et immatérielle. C'est une menace fantôme. L'entreprise ne possède aucun taxi, Roadie et Shyp aucun camion, Airbnb aucun hôtel, tout comme Alibaba et NeighborGoods n'ont aucun inventaire… Ces services se contentent de mettre des individus en contact et de monétiser cette relation.

L'ubérisation consiste à créer de la valeur dans l'intermédiation des services. Il suffit de comparer la masse salariale d'Uber à celle d'autres entreprises du secteur pour comprendre l'avantage d'un tel modèle d'affaires. En 2015, Uber était évaluée à 40 milliards de dollars américains, soit à peine 20 milliards de moins que le géant de l'automobile General Motors né 100 ans avant elle. La grande différence entre les deux entités ? General Motors emploie plus de 200 000 personnes et rémunère ses ouvriers entre 19 et 28,50 $ américains de l'heure (sans tenir compte des primes), alors qu'Uber n'employait que 2200 personnes en 2015.

Au fond, l'ubérisation n'est peut-être qu'une nouvelle étape de la révolution numérique, une suite logique des choses, après que la musique eut été « napstérisée », puis « itunisée » et finalement « spotifyisée » ; après que la vidéo eut été « youtubisée » puis « netflixisée » ; après que le monde de l'édition eut été « amazonisé » ; que la presse eut été « googlisée » avant de se faire « facebookiser » ; après que l'université eut été « wikipédiée »… La liste est sans fin : c'est le principe même de la technologie, de changer les règles.

Les 200 000 chauffeurs du réseau Uber ne sont pas des employés, ce sont des indépendants sous contrat, rémunérés en moyenne 17 $ de l'heure. Ce statut a une grande incidence sur les revenus des chauffeurs : les employés de General Motors n'assument pas les frais des machines qu'ils utilisent. Tandis que les conducteurs Uber payent pour leur véhicule (achat, entretien, assurance, essence, etc.).

Uber fait peur parce qu'elle casse les règles établies. L'ubérisation, c'est d'abord la dérégulation des anciennes procédures et notamment la déréglementation fiscale : les chauffeurs UberX ne détiennent pas de permis de taxi (qui coûte généralement plus de 100 000 dollars dans les grandes métropoles occidentales). Les logeurs d'Airbnb ne payent pas non plus de taxe de séjour.

L'ubérisation, c'est l'innovation de rupture : une invention qui force l'industrie à se réinventer. Cette dérégulation des anciennes procédures est dans l'ADN du Web. Eric Schmidt, ancien PDG de Google, affirmait d'ailleurs dans son dernier livre qu'Internet était la plus grande expérience anarchique de tous les temps.

Pour Denis Pommeray, la réussite de ces nouveaux conquérants de l'économie tient à plusieurs ingrédients :

Valorisation et croissance : La priorité est à la valorisation plutôt qu'au chiffre d'affaires. La plupart des sociétés du Web ont des actionnaires dont l'intérêt principal est la plus-value potentielle.

Scalability (qu'on pourrait traduire par « variabilité d'échelle ») : Les économies d'échelle sont la clé du succès des entreprises en ligne. Contrairement à un magasin, leurs capacités d'accueil sont quasiment illimitées. Leur capacité à se développer sans augmenter leurs coûts de manière linéaire représente des économies d'échelle. On atteint ainsi le fameux « point d'équilibre ».

Monétisation et diversification : Un site d'*e-commerce* prisé pourra tirer des revenus de son trafic, de sa base clients et de ses capacités commerciales, marketing, technologiques ou logistiques. Ainsi, de nombreux sites (rueducommerce.fr, cdiscount.com, laredoute.com, spartoo.com) ont suivi l'exemple d'Amazon en proposant en complément un service de « *marketplace* » permettant aux professionnels de vendre leurs produits directement au client.

URL

L'acronyme URL, pour *Uniform Resource Locator* (localisateur uniforme de ressource), c'est-à-dire une manière de rendre compte d'une adresse acceptée par tout le monde sur le Web. On peut décomposer une adresse en plusieurs parties : le protocole utilisé, les données d'authentification, le nom du serveur, le port et le chemin d'accès à la ressource.

Par exemple, si l'adresse URL de plusieurs sites débute par « http:// », cela indique que le protocole utilisé sur la page est le protocole HTTP (voir référence).

USB (port)

Les ports USB, pour *universal serial bus*, ont provoqué une petite révolution au début des années 2000. Avant leur arrivée, connecter une souris, un clavier ou quelque dispositif externe à un ordinateur se faisait via des câbles plus complexes.

UTOPIE NUMÉRIQUE

Autant enfoncer des portes ouvertes : nous vivons dans un monde de plus en plus numérique. Mais si on associe aujourd'hui cet univers aux grandes corporations et aux questions relatives au cours de la Bourse de l'action de tel ou tel géant, il ne faudrait surtout pas oublier qu'il pourrait avoir été imaginé, puis être né, sous le puissant patronage du LSD.

Le LSD, ou diéthylamide de l'acide lysergique, est un dérivé de l'ergot de seigle. C'est une substance synthétisée pour la première fois en 1938 par le chimiste suisse Albert Hofmann, et mise sur le marché en 1946 par la très officielle compagnie suisse Sandoz. La drogue a été l'apanage des messieurs en cravate bien avant les hippies. L'inventeur du LSD lui-même n'était pas ce que l'on pourrait appeler un « doux rêveur », même s'il a défendu toute sa vie la relative innocuité et les nombreux effets euphoriques et antidépresseurs de sa substance. Il est d'ailleurs l'auteur, à propos du LSD, de ce qui aurait pu être l'une des phrases les plus partagées sur les réseaux sociaux s'ils avaient existé en 1960 : « Nous avons besoin d'une nouvelle conception de la réalité et des valeurs novatrices si nous voulons changer de manière positive. Le LSD pourrait aider à générer ces nouveaux concepts. »

À la fin de sa vie, par ailleurs fort longue (il meurt à 102 ans, après avoir essayé l'ecstasy avec sa femme, qui « n'aimait pas le LSD », alors qu'il était octogénaire), Albert Hofmann écrit à Steve Jobs pour lui demander de financer la recherche médicale portant sur cette substance. Dans sa lettre, il mentionne que le LSD pourrait aider à combattre l'anxiété liée au fait d'être aux prises avec une maladie mortelle.

Ça ne fait pas vraiment la une des journaux, mais la plupart des idéateurs des technologies que nous utilisons aujourd'hui ont vraiment visité d'autres mondes. Puce électronique ? LSD. Réseaux sociaux ? LSD. Ordinateur personnel ? LSD. Interviewé par John Markoff dans le cadre de la rédaction de son excellent essai *What the Dormouse Said*, Steve Jobs lance : « *Doing LSD was one of the two or three most important things I have done in my life.* » Et il n'est pas le seul à le penser. Le creuset technologique des années 1960, que ce soit au MIT (dans l'est) ou à l'université Stanford (dans l'ouest), a pris forme, tant philosophiquement

La technologie
permet, pour
la première fois,
la rencontre
de pensées
humaines à l'abri
des structures
traditionnelles
de pouvoir

que technologiquement, grâce à des personnes animées d'idéaux de partage et d'autonomisation de l'individu face au pouvoir bureaucratique. Et pour les ingénieurs qui ont imaginé les structures des premières puces électroniques comme pour les philosophes qui ont associé « ordinateur » et « pensée augmentée », le LSD est un fort vecteur d'inspiration.

Quelques années avant que Tim Berners-Lee n'invente le Web en 1989, on trouve sur Internet (qui n'est pas encore relié par les protocoles du WWW) la communauté The WELL (pour Whole Earth 'Lectronic Link), sorte de paléo-Facebook des *geeks*. Dès 1985, un ramassis d'originaux, d'ingénieurs, de codeurs, mais aussi de biologistes, de physiciens, de poètes ou d'auteurs de science-fiction partagent sur ce proto-réseau social des idées, des programmes, des essais… et aussi beaucoup de bêtises (c'est un réseau social après tout).

Jusqu'à la fin des années 1960, les ordinateurs sont d'énormes machines à calculer qui ne disposent que de peu de possibilités d'interaction avec les humains. Les premières extensions sous forme d'écran seront d'ailleurs appelées, fort à propos, *expensive typewriter*. De plus, dans un contexte de guerre froide et dans un monde qui se remet à peine du traumatisme causé par les bombes nucléaires qui ont dévasté le Japon, la technologie n'a pas bonne presse. On associe les ordinateurs à l'armée, à la guerre froide, à la guerre du Vietnam. Pour que l'ordinateur devienne une « drogue », une porte ouverte sur de nouveaux univers, il faudra qu'il se rapproche des humains, qu'il leur permette de collaborer.

Ils considèrent depuis longtemps l'appareillage techno comme une force libératrice. Plus encore, ils voient la technologie comme un puissant vecteur d'augmentation de la pensée. Grâce à l'arrivée de l'ordinateur comme interface entre les individus, la technologie permet, pour la première fois, la rencontre de pensées humaines à l'abri des structures traditionnelles de pouvoir.

En ce sens, The WELL trouve ses racines dans l'utopie numérique des hippies de la Silicon Valley, qui gravitent dans les années 1960 autour du groupe Grateful Dead, et parmi lesquels on trouve John Perry Barlow (parolier du groupe) et les ingénieurs John Gilmore et Mitch Kapor. En 1990, ces trois derniers fonderont l'Electronic Frontier Foundation : l'une des plus importantes organisations de défense des libertés civiles numériques.

The WELL est aussi la créature d'un certain Stewart Brand, biologiste touche-à-tout diplômé de Stanford, ex-parachutiste de l'armée américaine et grand consommateur de LSD. C'est à lui que l'on doit d'ailleurs le célèbre aphorisme « L'ordinateur est le nouveau LSD ». Stewart Brandt a fait partie du célèbre groupe psychédélique semi-nomade Merry Pranksters, mené par l'auteur Ken Kesey, qui a transformé l'image de l'ordinateur auprès du grand public.

Jusqu'à la fin des années 1960, les ordinateurs sont d'énormes machines à calculer qui ne disposent que de peu de possibilités d'interaction avec les humains. Les premières extensions sous forme d'écran seront d'ailleurs appelées, fort à propos, *expensive typewriter*. De plus, dans un contexte de guerre froide et dans un monde qui se remet à peine du traumatisme causé par les bombes nucléaires qui ont dévasté le Japon, la technologie n'a pas bonne presse. On associe les ordinateurs à l'armée, à la guerre froide, à la guerre du Vietnam. Pour que l'ordinateur devienne une « drogue », une porte ouverte sur de nouveaux univers, il faudra qu'il se rapproche des humains, qu'il leur permette de collaborer.

Et du LSD, il s'en consomme énormément dans la Silicon Valley durant cette période. Le journaliste Michael Pollan raconte dans son dernier livre *How to Change your Mind — What the New Science of Psychedelics Teaches Us About Consciousness, Dying, Addiction, Depression, and Transcendence* comment, dans les années 1950, avant même l'invention du terme « Silicon Valley », une poignée d'ingénieurs de la compagnie AMPEX (qui a commercialisé les premiers enregistreurs sur bande magnétique) ont été approchés par un original, un certain Al Hubbard, le « *Johnny Appleseed of LSD* » :

« *With his help, they found that dropping acid could make their jobs easier. [Hubbard] wanted to turn on the best and brightest and have the wisdom trickle down to the populace," Pollan said. "Engineers who were working on chips found LSD very helpful in imagining a structure as complex as a computer chip. Before there were computers, designing a computer chip was much harder ! It was a three-dimensional structure, layered, and you had to hold an incredible amount of information in your head.* »

VAPORWARE

Un *vaporware*, ou fumiciel (fumée + logiciel), est un produit annoncé au grand public, mais dont la commercialisation est continuellement repoussée et qui finit par ne jamais voir le jour.

VERNACULAIRE (Internet)

La langue vernaculaire désigne la langue parlée seulement à l'intérieur d'une communauté linguistique donnée. Entre 1993 et l'explosion de la bulle Internet en 2000 se développe toute une esthétique propre à ce que l'artiste Olia Lialina va appeler l'« Internet vernaculaire » : un Web d'amateurs, de barbares ou encore d'indigènes (Langue vernaculaire ou vernaculaire : langue parlée seulement à l'intérieur d'une communauté linguistique donnée).

L'Internet vernaculaire naît avec l'invention conjointe du Web, du code HTML et du premier navigateur. En 1993, deux inventions fondamentales transforment ce monde pour en faire le Web que l'on connaît aujourd'hui.

La première est le langage HTTP (*Hypertext Transfer Protocol*), créé par Tim Berners-Lee, qui permet de créer des adresses de sites reliés les uns aux autres par des liens hypertextes. Cette invention supprime les lignes de code informatique, il suffit désormais de cliquer sur un lien.

La deuxième est Mosaic (voir référence), le premier navigateur Web, créé entre autres par Marc Andreessen, et qui permet d'afficher de l'image et du texte sur le même écran. Les « utilisateurs-concepteurs » s'emparent très vite de cette nouvelle technologie qu'ils considèrent comme une révolution. Pour Olia Lialina, c'est le véritable âge d'or du Web, comme il y a eu un âge d'or du cinéma hollywoodien. On assiste à une sorte d'explosion créative avec son esthétique propre. Apparaît, via Internet, un style éclectique, dans l'esprit *DIY*, qui se manifeste via des fonds de page, des objets animés et des polices de caractères en tout genre.

Sur les sites, il n'est alors pas rare de voir plusieurs éléments conjugués : des polices colorées en 3D, des GIF animés de toutes natures, des fonds étoilés, des musiques au format MIDI, des compteurs qui affichent le nombre de personnes ayant visité le site et des panneaux « *Under construction* ». Sans oublier les fameuses pages de liens. Le Web verna-culaire est fasciné par les liens.

Toutes ces caractéristiques deviendront sujets à moqueries au tour-nant du siècle, avec l'arrivée en scène des designers Web professionnels, dont les premières formations académiques officielles ont commencé aux alentours de 1995-1997. L'expertise remplace dès lors l'amateurisme et le folklore, considérés comme inefficaces en matière de hiérarchisa-tion de l'information. Enfin, les pages d'accueil avec leur signalisation « Bienvenue sur ma page » n'existent plus et sont remplacées par des profils sociaux et des blogues.

Le Web vernaculaire est remplacé au début des années 2000 par un Internet plus commercial, l'Internet du *dotcom*. Dans ce Web destiné aux utilisateurs et non aux créateurs, tout est déjà préorganisé. La vie défile dans une *timeline* Facebook (voir référence), semblable à des milliers d'autres, le CV entre dans des cases prévues à cet effet par LinkedIn (voir référence), le journal intime se déploie sur un blogue en WordPress, et les photos s'affichent dans Flickr. Il existe une communauté et un site pour tout.

Côté design, le Web professionnel fait la part belle au minimalisme, aux couleurs acidulées, aux beaux reflets et aux transparences. Toutes les techniques de SEO et d'*eye-tracking* l'ont aussi rationalisé pour qu'il soit, comme un message publicitaire, immédiatement et facilement assimilable par l'usager.

Le « vieux Web » est encore présent, mais il s'est dissimulé à notre regard. Les moteurs de recherche classent les vieilles pages d'amateurs tellement loin dans la liste qu'on ne les voit presque plus. Mais c'est un peu comme les souterrains de Paris ou les égouts de New York : il suffit de descendre un peu dans les profondeurs du Web pour redécouvrir un monde inconnu.

Parfois, ce vieux style revient à la mode, un peu comme un atavisme, comme ça a été le cas avec Myspace, le réseau social qui, en 2004-2005, permettait de configurer le code HTML de sa page personnelle. Les uti-lisateurs se comportaient avec leur page comme les premiers utilisateurs d'Internet, et ils ajoutaient des liens, des images, des fonds colorés et du *glitter* partout, jusqu'à saturation. Et que dire de 4chan (voir référence), où se rencontre l'élite du « LOL » mondial, un forum gigantesque et l'un des sites les plus visités quotidiennement, dont l'esthétique est plus que vernaculaire. Ce site, qui a inventé les mèmes Internet (voir référence), construit pourtant chaque jour une véritable culture, récupérée par le Web institutionnel avec des sites comme Know Your Meme. Les barbares agissent encore dans l'ombre.

VOITURES AUTONOMES

Comment réagiriez-vous si des intelligences artificielles conduisaient des voitures et tuaient 369 personnes par année sur les routes de notre province ? Et si elles renversaient 11 cyclistes et 59 piétons ?

Ces chiffres correspondent au bilan routier du Québec en 2017. La bonne nouvelle, c'est qu'il y a peu de chance que les machines réussissent ce triste exploit. Parce que nous n'accepterons jamais que les machines deviennent aussi dangereuses que nous.

L'intelligence artificielle dépasse désormais l'être humain dans des secteurs d'activité qui lui étaient jusque-là réservés : de la reconnaissance d'image et de voix jusqu'à la capacité d'extraire des données significatives, voire du sens, dans des dizaines de milliers de pages de textes lues en quelques secondes. Est-ce que cela vaut aussi pour la conduite automobile ?

Aux États-Unis, selon la National Highway Traffic Safety Administration, les erreurs humaines au volant ont tué, en 2015 et 2016 seulement, autant d'Américains que la guerre du Vietnam, soit plus de 60 000 personnes. On imagine aisément les manifestations monstres si des robots étaient impliqués ne serait-ce que dans une infime partie de ce nombre de décès.

Des centaines de voitures sans conducteur ont aujourd'hui parcouru des millions de kilomètres sur les routes du monde. Malgré tout, Elaine Herzberg est la seule piétonne qui a été tuée par une erreur d'algorithme, le 18 mars 2018. Tout cela avec une technologie développée dès le milieu des années 1980, alors que l'Allemand Ernst Dickmanns réussissait le pari fou de laisser le volant d'un camion à un ordinateur, autour de l'université de la Bundeswehr à Munich, où il menait ses recherches. Moins de 10 ans plus tard, en 1994, deux Mercedes 500 programmées par l'équipe d'Ernst Dickmanns quittaient l'aéroport de Paris-Charles-de-Gaulle pour effectuer plus de 1000 kilomètres, en atteignant des vitesses de plus de 130 km/h de manière totalement autonome. Exploit répété le printemps suivant sur 1700 km.

Pour autant, l'automobile (ou le camion) autonome n'a pas encore pris le dessus sur la conduite humaine. Malgré les pas de géant réalisés dans le domaine ces dernières années, la plupart des spécialistes s'entendent pour dire qu'il est encore impossible d'évaluer le moment où des véhicules totalement autonomes rouleront parmi nous... si jamais cela se produit. Même Elon Musk, qui est pourtant capable de faire atterrir des fusées à la verticale, n'en finit plus de repousser la date à laquelle ses Tesla seront équipées de la conduite entièrement autonome. En 2015, il prédisait que la technologie serait au point deux ans plus tard. En 2017, il annonçait qu'il faudrait deux années supplémentaires pour que l'auto sans conducteur atteigne le niveau 5 de l'autonomie, permettant de dormir dedans alors qu'elle nous conduit vers le centre-ville de New York.

Les spécialistes, quant à eux, affirment que dans ce laps de temps, les intelligences artificielles atteindront au mieux un niveau 3 acceptable (c'est-à-dire que l'ordinateur réalise certaines manœuvres, comme l'accélération et le changement de voies, mais redonne le volant à l'humain en cas de pépin).

En cause : l'état de nos routes, pour le moment inadaptées ; l'incapacité pour les caméras embarquées de bien décoder leur environnement lorsqu'elles sont éblouies par le soleil ; et les environnements chaotiques des villes, un déluge sensoriel que les intelligences artificielles ont bien du mal à déchiffrer. Un être humain n'a par exemple aucune difficulté à comprendre que la forme qu'il perçoit derrière une auto stationnée est un enfant, et que ce dernier peut se précipiter sur la voie à tout moment. L'ordinateur en est encore incapable.

Pourquoi avons-nous alors cette désagréable impression que les intelligences artificielles sont en train de nous surpasser dans tous les aspects de nos vies ? Pensons simplement à AlphaGo. Basé sur 30 millions de parties jouées par des êtres humains, ce programme de jeu de go a réussi à battre le champion du monde 4 parties à 1 en 2016.

« Dans 3 à 8 ans, nous aurons une machine avec l'intelligence générale d'un être humain », déclarait Marvin Minsky, l'un des pères fondateurs de la science de l'intelligence artificielle, dans le magazine *Life* en 1970. Pourtant, presque 50 ans plus tard, plusieurs spécialistes affirment au contraire qu'il s'agit peut-être d'une chose technologiquement impossible.

Comment Minsky, cet homme si brillant, a-t-il pu se tromper si lourdement ? Nonobstant son génie, il appartient à l'une des niches sociodémographiques les plus favorisées de l'histoire de l'humanité : l'homme blanc américain. Lors de la conférence fondatrice du champ de l'intelligence artificielle, au Dartmouth College au New Hampshire en 1956, il n'y a d'ailleurs que des hommes blancs. La seule femme présente est la conjointe de Marvin Minsky, Gloria.

Et que valorise-t-on chez ces hommes blancs éduqués de cette époque ? Les équations, le calcul et… les parties d'échecs. Le stade suprême de l'intelligence artificielle consiste donc à battre un humain à ce jeu. Ce qui sera chose faite en 1997.

Le biologiste Henri Laborit a souvent comparé ce qui a trait à notre conscience, ce que nous appelons la raison et tout ce qui en découle (le langage, la représentation de soi, le calcul, le dialogue intérieur, etc.) à une sorte d'écume insaisissable qui affleure à la surface de l'océan de notre inconscient.

D'un point de vue évolutif, il a raison. Tout ceci est arrivé très récemment dans notre évolution, quelques centaines de milliers d'années, tout au plus. Et c'est là que les ordinateurs, souvent, nous surpassent, lorsqu'il s'agit de nos apprentissages les plus récents. La thèse du roboticien Hans Moravec, qu'on appelle le paradoxe de Moravec, repose justement sur cet argument : prendre le volant d'un véhicule pour aller acheter une pinte de lait est plus difficile pour une intelligence artificielle que de gérer 80 milliards de milliards de milliards de possibilités au jeu de go.

N'oubliez pas que la paire d'yeux avec laquelle vous lisez ce texte — et tout l'appareillage neuronal qui vient avec — se perfectionne depuis... 600 millions d'années. Les premières traces d'écriture et de calcul sont apparues il y a... plus de 5000 ans. Pour Hans Moravec, la facilité avec laquelle nous apprenons, par exemple, à faire du vélo et la faculté que nous avons de nous concentrer pour lire des textes est une question... de temps.

L'être humain réalise facilement des opérations simples en apparence, mais qui sont en réalité d'une complexité ahurissante, comme aller chercher une pinte de lait au dépanneur dans un VUS de deux tonnes qui consomme 13 litres au 100 kilomètres. Cette même personne qui se fait écraser par un petit programme d'échecs acheté pour quelques dollars en ligne. Tout cela est hautement logique, comme dirait Spock. Pourquoi ? Parce que derrière ces comportements — marcher, ouvrir une porte, se déplacer sur la route grâce à l'équilibre, la vue, l'ouïe, tout en pensant à ce que l'on va mettre dans le risotto pour souper —, il y a des milliards d'années d'évolution. Pourquoi nos yeux sont-ils si habiles à détecter des dangers dans des environnements chargés ? Pourquoi pouvons-nous déceler des obstacles (des bosses, des flaques d'eau), pourquoi allons-nous rouler sur ce sac de papier que nous aurons su différencier d'une roche en moins d'une seconde ? Grâce à l'évolution.

Une autre des qualités les plus admirables du cerveau humain réside dans son efficacité énergétique. Dans un article publié en 2012 dans le magazine *Scientific American*, le journaliste Ferris Jabr a tenté d'estimer la consommation moyenne d'un cerveau humain. Imaginez une masse graisseuse de 1400 centimètres cubes, composée d'environ 86 milliards de neurones reliés par 1000 milliards de connexions. Quantité totale d'électricité consommée : 12,6 watts. Avez-vous déjà essayé de lire avec une lampe de 15 watts ?

L'équipe derrière AlphaGo, pour ne citer qu'elle, rassemblait une centaine de scientifiques. Le « moteur » d'AlphaGo comptait la bagatelle

de 1200 CPU (*central power unit*) et 176 GPU (*graphic power unit*). Consommation électrique : 1 mégawatt, l'équivalent de la consommation, par heure, de plusieurs centaines de maisons. Et n'essayez pas de demander à AlphaGo de vous conduire à un concert au centre-ville.

Pour le moment, et pour plusieurs années encore, Hans Moravec aura davantage raison qu'Elon Musk.

VPN

Un réseau privé virtuel (ou VPN, de l'anglais *virtual private network*), permet de créer une connexion à Internet en brouillant la source de la connexion. Ce genre de réseau permet à un employé travaillant à distance de se connecter au réseau de son entreprise, ou à un internaute d'avoir accès à du contenu (par exemple des vidéos à la demande) accessible uniquement dans certaines zones géographiques.

Le VPN est un outil prisé là où Internet est censuré, et certains pays, dont la Chine, en interdisent l'usage.

WAYNE, RONALD

Ronald Wayne est, avec les deux Steve (Jobs et Wozniak), l'un des trois membres fondateurs d'Apple le 1er avril 1976. C'est aussi le plus magnifique perdant de l'histoire de l'informatique. On lui doit le premier logo de la firme avec Newton sous son pommier, logo que Steve Jobs changera l'année suivante, le jugeant illisible.

À la recherche d'un mentor, les deux Steve proposent à Ronald de devenir associé d'Apple à hauteur de 10 %, en échange de ses conseils, ce que ce dernier accepte. Deux semaines plus tard toutefois, inquiet d'être la seule personne solvable de l'entreprise en cas de défaut de paiement, il décide de revendre ses parts aux deux associés pour 800 $ américains. Ces parts vaudraient aujourd'hui approximativement 70 milliards de dollars américains. Ronald Wayne a aussi conservé le document officiel de l'enregistrement d'Apple avec la signature des trois associés. Il a vendu ce dernier en 1995 pour 500 $. En 2011, ce document a été vendu aux enchères pour presque 1,6 million de dollars américains. S'étant réfugié dans la numismatique et la philatélie, Ronald Wayne n'a jamais voulu posséder de produits Apple jusqu'à ce qu'on lui offre un iPad en 2011 lors d'une conférence.

WEBCAM

Les inventions naissent parfois de nécessités extrêmes. Ainsi, la première webcam ou cybercaméra est imaginée en 1991 par deux chercheurs d'un laboratoire d'informatique de Cambridge afin de solutionner le problème suivant : 15 personnes doivent se partager une même cafetière. Pour maintenir tous les membres du laboratoire au courant de l'état d'avancement du café, James Quentin Stafford-Fraser et Paul Jardetzky installent une caméra qui filme la cafetière. L'image, distribuée en réseau, est rafraîchie toutes les trois minutes.

Les cybercaméras sont désormais utilisées en matière de gestion du trafic routier, de soins de santé, de sécurité ainsi que dans les commerces. Nées d'une cocasserie dans un laboratoire *geek*, elles sont omniprésentes aujourd'hui.

WHATSAPP

Application de messagerie instantanée, dont le nombre d'utilisateurs quotidiens a passé la barre du milliard en 2017.

L'entreprise, qui existe depuis 2009, a été rachetée par Facebook en février 2014 pour la somme de 19 milliards de dollars américains.

Plusieurs analystes estiment que la popularité de l'application tient à la fois de sa gratuité, de la convivialité du produit, de la possibilité de créer des conversations de groupe et du fait que, contrairement à d'autres applications proposant des services similaires, elle ne soit censurée que dans peu de pays (elle l'est en Chine, mais fonctionne en Arabie saoudite).

WIENER, NORBERT

Enfant prodige, Norbert Wiener (1894-1964) a étudié les mathématiques, la zoologie et la philosophie. Son doctorat en poche à 18 ans, il devient rapidement professeur au célèbre MIT (voir référence).

Durant la Seconde Guerre mondiale, il refuse de participer au projet Manhattan, qui travaille au développement de la bombe nucléaire. C'est au cours de son engagement pour la lutte antiaérienne qu'il commence à réfléchir à sa théorie de la communication, qui le mènera à poser les bases d'une science nouvelle : la cybernétique.

WIKI

Se dit d'une application Web qui permet la création et la modification par tous de contenus collaboratifs. Wikipédia (voir référence) est sans doute le plus célèbre wiki.

WIKILEAKS

L'organisation, fondée en 2006 par le très controversé Julian Assange, a connu une notoriété internationale à partir de 2010, lorsque le *New York Times* et le *Guardian* ont diffusé des informations obtenues via son site Internet.

Il ne s'agit pas d'un véritable « wiki », mais le site utilise ce titre puisqu'il s'agit d'une plateforme ouverte aux lanceurs d'alerte du monde entier.

WIKIPÉDIA

Pendant des années, les étudiants se sont fait répéter de ne pas se fier au contenu des pages de Wikipédia, jugées peu fiables. Mais depuis sa fondation en 2001, le site créé par Jimmy Wales a su asseoir une crédibilité certaine. Avec plus d'un millier d'administrateurs et des millions d'utilisateurs, il arrive même au géant collaboratif de juger aujourd'hui de la fiabilité des autres sources médiatiques.

WINDOWS et WINDOWS 95

Windows 95 est un système d'exploitation de Microsoft, lancé en 1995 pour les ordinateurs personnels IBM et compatibles, et qui a marqué un tournant dans la simplification de l'interface entre l'utilisateur et la machine.

Le téléphone intelligent déborde d'applications qui peuvent fonctionner simultanément. On peut du bout des doigts écouter sa musique en naviguant sur le Web pendant que la minuterie compte les secondes avant que le souper soit prêt.

Au début des années 1980, on n'en était pas là. Les micro-ordinateurs faisaient fonctionner un logiciel à la fois (on fermait complètement son traitement de texte avant d'ouvrir son tableur), et une partie des communications avec la machine passait par le langage écrit (par exemple, en MS-DOS, pour changer le nom d'un fichier, il fallait utiliser la commande *rename* avec l'ancien et le nouveau nom du fichier : *rename "allocution.txt" "discours.txt"*). L'utilisation des systèmes d'exploitation nécessitait donc un certain apprentissage.

L'avènement de Windows 95 a notamment permis le déplacement entre plusieurs logiciels fonctionnant simultanément. Dans le code situé en profondeur, celui qui gère les fonctions les plus fondamentales de la machine, il s'agit aussi d'une nouveauté par la capacité du système à exploiter un nouveau processeur beaucoup plus rapide, notamment grâce à sa mémoire vive. Une architecture qui passe aussi à l'époque de 16 à 32 bits, le tout jumelé au fait que le processeur est beaucoup plus efficace lorsqu'il doit exploiter plusieurs logiciels fonctionnant en même temps. De plus, Windows 95 rend presque invisible le MS-DOS, le système d'exploitation que Microsoft avait développé et mis à jour à partir de 1981. La plupart des utilisateurs de Windows n'ont dès lors plus eu besoin de connaître le MS-DOS.

Reflet d'une époque, la première version de Windows 95 était fournie sur 15 disquettes 3 ¼ pouces, ne contenait pas de navigateur Web et ne gérait pas les ports USB.

Cerise sur le gâteau : l'indicatif musical qu'on entend au démarrage de Windows 95 sur les ordinateurs IBM a été composé par Brian Eno (musicien, arrangeur et réalisateur de disque qui a notamment travaillé avec U2, Coldplay et David Bowie) sur un ordinateur Macintosh !

WORDPRESS

Cet outil de création de sites Web lancé en 2004 est offert de manière gratuite et libre. Et son impact est immense : un peu plus de 30 % des sites Internet dans le monde sont créés sur WordPress.

WOZNIAK, STEVE

Dans les années 1950, un disque dur de 5 mégaoctets avait la taille d'un réfrigérateur. L'espace occupé par les ordinateurs était à l'avenant. Steve Wozniak fait partie des gens qui ont transformé cet univers en participant, à la fin des années 1970, à l'avènement de ce qu'on appelait alors la micro-informatique, c'est-à-dire la production d'ordinateurs de petite taille, conçus pour le bureau ou la maison.

Avec Steve Jobs (voir *Jobs, Steve*) et Ronald Wayne, il fonde Apple en 1976. En 1977, ils lancent l'Apple II, un des premiers micro-ordinateurs produits en série, qui sera constamment amélioré pendant les 16 années qui vont suivre. (À titre de comparaison, l'ordinateur Apple I qui l'avait précédé n'avait été produit qu'à 200 exemplaires environ.)

Steve Jobs supervise la conception du boîtier de l'Apple II, Rod Holt se charge du bloc d'alimentation et Steve Wozniak s'occupe du reste, soit du cerveau informatique. Il s'était fait la main avec l'Apple I, dont il avait notamment conçu la carte de circuit imprimé (le cœur de l'ordinateur) et le système d'exploitation.

Pour Steve Wozniak, un ordinateur personnel (comme on disait plus fréquemment dans les premières décennies de la micro-informatique) doit être « petit, fiable, facile à utiliser et peu coûteux (*Byte*, mai 1977) ».

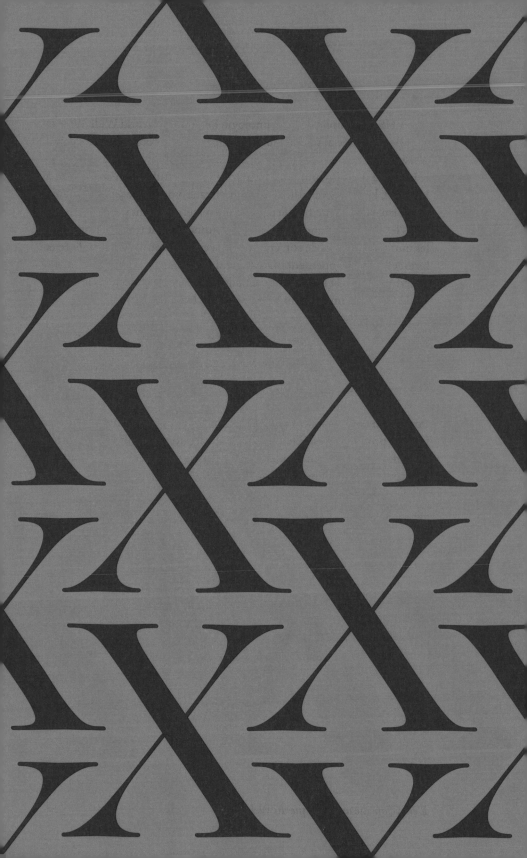

XANADU (projet)

Si le VHS a triomphé de la technologie Betamax, le World Wide Web de Tim Berners-Lee a, quant à lui, pris le pas sur le projet Xanadu de Ted Nelson.

Imaginé dans les années 1960 par ce jeune étudiant en sociologie à Harvard, le projet Xanadu avait pour vocation de proposer un système d'information permettant le partage universel et instantané de données. Mais les idées de grandeur du jeune homme étaient trop en avance sur les outils techniques de son époque, et la conception assez centralisée et fermée du développement du réseau lui ont nui.

Ted Nelson s'est tout de même taillé une place de choix dans le World Wide Web de Tim Berners-Lee en créant l'hypertexte.

XIAOMI

Fondée en 2010, Xiaomi est l'une des compagnies émergentes chinoises les plus prometteuses. Elle fabrique des téléphones intelligents d'entrée de gamme. En 2015, en Chine, ses produits se vendaient déjà davantage que ceux de la marque Samsung.

Y COMBINATOR

Y Combinator est l'incubateur (voir *Jeune pousse*) par excellence de la Silicon Valley d'où sont sorties les entreprises Dropbox, Airbnb, ou encore Stripe.

YOUTUBE

YouTube est à la vidéo ce que l'écriture est à l'humanité : elle sépare la préhistoire de l'histoire. Avant YouTube, la vidéo en ligne est encore hésitante : aucun moteur de recherche ne lui est consacré, elle ne possède ni archivage ni mémoire. L'avènement de YouTube facilite la recherche, l'hébergement, l'intégration et le partage de vidéos, ce qui lui permet de devenir très vite la référence en matière de vidéo en ligne.

Pour se rendre compte des changements que YouTube a apportés dans nos vies d'internautes, il faut se remémorer ce qu'était la vidéo en ligne avant 2005. Pour les webmestres, à l'époque, la vidéo relevait du cauchemar. Ceux et celles qui voulaient diffuser une séquence animée sur leur site Internet devaient l'héberger sur leur serveur (et payer les frais de bande passante qui y étaient associés), et l'encoder pour l'un des trois principaux *players* sur le marché : RealPlayer, Apple's QuickTime ou Windows Media Player. L'intégrateur devait parfois publier les vidéos dans les trois formats sur une même page. L'attente était aussi intrinsèquement liée à l'expérience de la vidéo : il fallait patienter de longues minutes afin que la vidéo soit intégralement téléchargée avant de pouvoir la voir.

Du côté de l'internaute également, la vidéo était une denrée rare avant 2005, puisque les concepts de vidéos recommandées et de *playlists* n'existaient pas. Les vidéos étaient diffusées grâce au bouche-à-oreille, par courriel, sur des forums, et au moyen de logiciels pair-à-pair (*peer-to-peer* ou P2P), comme LimeWire ou Kazaa.

C'est pour répondre à ces problèmes que Chad Hurley, Steve Chen et Jawed Karim, trois anciens employés de PayPal, ont imaginé YouTube. On raconte que l'idée leur est venue en 2004, dans la foulée du scandale du Nipplegate lors du Super Bowl, et à la suite du tsunami dans l'océan Indien. Il était inconcevable à leurs yeux qu'à l'ère d'Internet, il soit impossible de trouver un extrait vidéo en ligne d'événements de cette importance.

YouTube va donner à ces contenus la dimension qu'ils méritent, en leur offrant la possibilité de devenir viraux. Plateforme sociale intégrant un élément de partage simple et efficace, YouTube accélère le rythme de la contagion. Sans YouTube, pas de Kony 2012, pas d'aigle du mont Royal, pas de « Mon père est riche en tabarnak ».

Dix ans après sa création, YouTube est devenue le plus grand espace de narration jamais créé, le lieu où tout ce qui était autrefois anecdotique est devenu partageable. Les audiences de la plateforme sont gigantesques : 800 millions de visiteurs uniques par mois, plus de 4 milliards de vidéos vues chaque jour et l'équivalent de 12 jours de vidéos téléversées par les usagers chaque minute.

Cette masse critique de vidéos téléversées chaque jour a bien failli avoir raison de la plateforme dans ses premiers mois d'activité. Quelques semaines après son lancement, des centaines de milliers d'heures de vidéos ont déjà été téléchargées sur les serveurs de l'entreprise. YouTube a très vite été confrontée à un problème d'infrastructure : un besoin de stockage exponentiel, et une demande de bande passante monstrueuse (on estime qu'en 2007, YouTube a consommé à elle seule autant de bande passante que l'ensemble d'Internet en 2000).

De plus, le site est très difficile à monétiser et donc, à rentabiliser. À ses débuts, YouTube attire peu les annonceurs, car la plateforme est considérée par l'industrie audiovisuelle comme un site de partage de vidéos entre amis, contenant beaucoup trop de contenu piraté. Elle a maille à partir avec les ayants droit, qui exigent la suppression pure et simple des vidéos diffusées sans autorisation (émission télé, films, extraits, musique, etc.).

Avec YouTube, Chad Hurley, Steve Chen et Jawed Karim ont entre les mains une technologie disruptive, mais au prix d'un site excessivement cher à opérer et sans modèle d'affaires... En vendant YouTube à Google, pour la somme de 1,65 milliard de dollars américains moins de deux ans après son lancement, les trois créateurs du site de partage de vidéos deviennent multimillionnaires (334 millions de dollars en actions pour Chad Hurley, 301 millions de dollars pour Steve Chen et 66 millions pour Jawed Karim) et se débarrassent d'un problème qu'ils n'ont pas les moyens de résoudre.

L'acquisition de YouTube par Google est le plus gros achat d'une entreprise du secteur pour l'époque. Google dispose des outils pour gérer sa croissance, assurer sa monétisation et régler les recours juridiques potentiels.

Le géant du Web possède l'infrastructure technologique suffisante pour assurer l'expansion de la demande de stockage et de la bande passante, et réduire ses coûts. Google dispose aussi d'un écosystème publicitaire déjà performant (avec son réseau AdWords et AdSense), ainsi que d'un carnet de clients conséquent. De plus, l'entreprise jouit d'une expérience en matière de vidéo, puisqu'elle a déjà lancé Google Vidéos et travaille sur un projet de publicité de type *pre-roll*.

Le format *pre-roll* est introduit quatre ans plus tard, en 2010. Il attire les annonceurs séduits par le système TrueView, en vertu duquel ils ne payent que si l'internaute a vu au moins 15 secondes de leur publicité. Les spectateurs acceptent eux aussi cette publicité non intrusive qu'ils peuvent arrêter d'un clic.

Google réussit également à normaliser ses relations avec les ayants droit, en mettant en place sa solution technique Content ID qui permet d'identifier les auteurs d'une vidéo ou d'une musique postée sur la plateforme, et de prévenir les ayants droit si l'un de leurs contenus est mis en ligne sans leur consentement.

Deux ans seulement après la mise en place du service, quelque 3 milliards de vidéos sont vues chaque jour sur Facebook, un chiffre atteint par YouTube 7 ans après son lancement. Facebook peut aussi s'appuyer sur un « graphe social » (de l'anglais *social graph* : graphique qui définit les relations interpersonnelles entre les utilisateurs) beaucoup plus poussé que celui de YouTube, puisque Google n'a jamais réussi à s'imposer dans l'univers des réseaux sociaux. Le graphe social est un avantage indéniable pour la promotion de la vidéo : postées sur Facebook, ces dernières arrivent directement dans le fil d'actualité des utilisateurs, là où ces derniers passent en moyenne plus de 20 minutes par jour.

Sous la gouverne de Google, YouTube va croître et dominer sans partage le marché du *streaming* vidéo pendant 10 ans. YouTube est une référence mondiale, disponible dans 75 pays et dans 61 langues. Soixante-dix pour cent des visionnements se font à l'extérieur des États-Unis. Lors de l'année fiscale 2014, elle a généré 4,7 milliards de dollars américains de revenus. Un chiffre colossal, qui s'explique entre autres par le fait que la plateforme concentre 19 % du marché de la publicité vidéo (contre 21,2 % en 2013).

Malgré ces statistiques, la rentabilité de YouTube pose toujours problème, et la chaîne doit faire face à une concurrence de plus en plus féroce. Si des plateformes de *streaming* concurrentes comme Dailymotion et Vimeo ne l'ont jamais vraiment ébranlée, les efforts fournis par Facebook pour prendre la première position en la matière ont de quoi inquiéter les dirigeants de Google.

Mais la plus grande menace planant sur YouTube reste interne, puisque les incertitudes quant à la profitabilité de la plateforme ne se sont jamais estompées, même avec le rachat par Google en 2006. Le *Wall Street Journal* affirmait en 2015 que YouTube ne générait pas de profits. « Si

YouTube représentait environ 6 % des ventes totales de Google en 2014, la plateforme n'a pas contribué aux bénéfices. Après avoir payé le contenu et l'équipement nécessaire pour diffuser les vidéos, le résultat net de YouTube est à peu près équilibré ».

Pire, selon Dan Rayburn, consultant chez Frost & Sullivan et cité par le *Financial Express*, « Google ne veut pas dire si YouTube réalise des profits », mais « 90 % des analystes pensent que le site perd toujours de l'argent. »

YouTube est prisonnière de ce qui fait sa force : un espace de stockage gratuit qu'il faut entretenir à grands coûts de millions de dollars. Pour rappel, l'équivalent de 12 jours de vidéos est téléversé chaque minute sur YouTube, ce qui représente l'équivalent de 50 ans de vidéos par jour. En une semaine, YouTube crée donc plus de contenu que les trois plus importants réseaux de télévision américains réunis depuis leur création.

Selon le *Financial Express* toujours, le modèle publicitaire de YouTube est encore bancal. Une immense partie des contenus générés par les utilisateurs et hébergés gratuitement ne peuvent être monétisés, car ils ne sont pas de qualité suffisante pour les annonceurs. Pour le journaliste Rolfe Winkler, l'autre raison du scepticisme des annonceurs tient à l'audience relativement jeune de YouTube. Malgré des chiffres spectaculaires, la plateforme rejoint un spectre beaucoup moins large de personnes que la télévision.

Voilà pourquoi une chaîne comme Vice, née sur le Web, a pris une entente avec Rogers Communications et HBO pour diffuser des programmes sur le câble. Shane Smith, PDG de Vice Media, explique à ce sujet que la télévision représente encore 75 % des investissements publicitaires dans le monde.

Pour être rentable, YouTube va devoir se diversifier et réinventer son modèle d'affaires. En novembre, l'entreprise a annoncé le lancement d'un service d'abonnement à la Spotify et sans publicité.

YouTube devra aussi, à l'instar de Netflix, produire du contenu original, afin de faire augmenter ses tarifs publicitaires et de les rapprocher de ceux de la télé.

YOUTUBEUR

Voici la définition qu'en donne Gabrielle Madé, directrice générale du studio Le Slingshot :

« - Qu'est-ce que tu veux faire quand tu seras grand ?

— Youtoubeur !

Un youtubeur est un créateur de contenu vidéo dont la plate-forme de diffusion principale est YouTube. De nombreux YouTubeurs sont des *"one man army"*, c'est-à-dire qu'ils occupent tous les rôles du processus de création (auteur, réalisateur, monteur, graphiste, etc.), en plus d'être devant la caméra. La plupart d'entre eux sont autodidactes, ayant acquis leurs notions techniques en regardant eux-mêmes des vidéos sur YouTube.

La notion de communauté est au cœur de la culture YouTube. Les échanges entre le youtubeur et sa communauté dans la section commentaires des vidéos sont réguliers et influencent ses choix créatifs. À ce titre, on préfère l'utilisation des termes "communauté" ou "abonnés" (qui laissent entendre un engagement actif des individus) aux termes "fans" ou "spectateurs" (qui sous-tendent une distance entre les individus et le créateur de contenu).

Certains créateurs de contenu sur YouTube en font leur métier et parviennent par divers moyens à générer des revenus : ils monétisent leurs vidéos en autorisant la diffusion de publicités avant et pendant celles-ci, collaborent avec des annonceurs, mettent en marché des produits dérivés et reçoivent des dons monétaires de leur communauté, entre autres. Le métier de youtubeur est le métier de rêve d'un grand nombre de jeunes à l'heure actuelle. »

ZETTABYTE (ZB)

La première disquette…

Sources

INTRODUCTION

BARD, Alexander et SÖDERQVIST, Yan. *Les Netocrates*, Éditions Leo Scheer, 2008.

DOUEIHI, Milan. *Pour un humanisme numérique*, Seuil, 2011.

FREUD, Sigmund. *Introduction à la psychanalyse*, Payot, 1975.

HARARI, Yuval Noah. *Homo Deus*, Albin Michel, 2017.

POSTMAN, Neil. *Technopoly*, First Vintage Books, 1993.

RIFKIN, Jeremy. *L'âge de l'accès, la nouvelle culture du capitalisme*, La Découverte, 2005.

ADBLOCK

MELOCHE-HOLUBOWSKI, Mélanie. « Les bloqueurs de publicités de plus en plus populaires », ICI Radio-Canada, 18 juin 2016. En ligne : ici.radio-canada.ca/nouvelle/787881/ sites-nouvelles-consommation-media-adblock-bloqueur-publicite-paiement

ALGORITHME

BAKSHY, Eytan ; MESSING, Solomon ; ADAMIC, Lada. « Replication Data for: Exposure to Ideologically Diverse News and Opinion on Facebook », Harvard Dataverse, 2015.

PARISER, Eli. *The Filter Bubble : How the New Personalized Web Is Changing What We Read and How We Think*, Penguin, 2011.

BALADODIFFUSION

BOHLER, Sébastien. « Les pensées viennent en marchant », Pour la science, 6 mars 2010. En ligne : pourlascience.fr/sd/neurosciences/les-pensees-viennent-en-marchant-10504.php

MURPHY, James S. « Serial Is a Hit, But It's Only the Short-Term Future of Podcasting », *Vanity Fair*, 17 décembre 2014.

BINGE-WATCHING

D'SOUZA, Deborah. « Netflix Doesn't Want to Talk About Binge-Watching », Investopedia, 18 mai 2019.

ROSMAN, Katherine. « Love in the Time of Binge-Watching », *New York Times*, 13 février 2015.

BULLE DE FILTRES

BAKSHY, Eytan ; MESSING, Solomon ; ADAMIC, Lada. « Replication Data for: Exposure to Ideologically Diverse News and Opinion on Facebook », Harvard Dataverse, 2015.

PARISER, Eli. *The Filter Bubble: How the New Personalized Web Is Changing What We Read and How We Think*, Penguin, 2011.

COURTAGE HAUTE VITESSE

LELIÈVRE, Frédéric et PILET, François. *Krach machine, comment les traders à haute fréquence menacent de faire sauter la Bourse*, Calmann-Lévy, 2013.

CYBER-BLURRING

LOVE, Dylan. « Inside Red Pill, The Weird New Cult For Men Who Don't Understand Women », Business Insider, 15 septembre 2013.

NOSSITER, Adam. « Hackers Came, but the French Were Prepared », *New York Times*, 9 mai 2017.

TERREL, Antoine et SIGNORET, Perrine. « MacronLeaks : comment E*n Marche !* a tenté de tromper les hackers », *L'Express*, 23 avril 2017.

DDOS (ATTACK)

« Mapping Mirai: A Botnet Case Study », Malware Tech, 3 octobre 2016. En ligne : malwaretech.com/2016/10/mapping-mirai-a-botnet-case-study.html

« Source Code for IoT Botnet 'Mirai' Released », krebsonsecurity.com, 1er octobre 2016. En ligne : krebsonsecurity.com/2016/10/source-code-for-iot-botnet-mirai-released/

LOVELACE JR, Berkeley. *Friday's third cyberattack on Dyn 'has been resolved,' company says*, CNBC, 21 octobre 2016.

MUNCASTER, Phil. « DDoS Attacks Jump Nearly 150% in a Year », *Info Security*, 4 mars 2016.

DRONE (domaine militaire)

SHANE, Scott et WAKABAYASHI, Daisuke. « The Business of War: Google Employees Protest Work for the Pentagon Image », *New York Times*, 4 avril 2018.

ADORNO, Theodor W. *Minima Moralia, Réflexions sur la vie mutilée*, Petite bibliothèque Payot, 2003.

ÉCOLE

RICHTEL, Matt. « A Silicon Valley School That Doesn't Compute », *New York Times*, 22 octobre 2011.

SHAPIRO, Jordan. « Teenagers In The U.S. Spend About Nine Hours A Day In Front Of A Screen », *Forbes*, 3 novembre 2015.

PISA 2015 (Programme international pour le suivi des élèves) de l'OCDE, *Connecter pour apprendre*. Étude de l'Organisation de coopération et de développement économiques.

« Pas d'écran à l'école ! », *Le Monde*, 4 octobre 2016.

EDGERANK

HEANEY, Katie. « Facebook Knew I Was Gay Before My Family Did », Buzzfeednews.com, 19 mars 2013.

GAMERGATE (controverse du)

AUDUREAU, William. « Une féministe américaine annule une conférence après une menace d'attentat », *Le Monde*, 15 octobre 2014.

HUMAIN AUGMENTÉ

SNIADECKI, Andréas. « Julian Huxley, Le transhumanisme, 1957 », *Transhumanisme et intelligence artificielle*, 17 février 2015. En ligne : iatranshumanisme.com/2015/02/17/julian-huxley-le-transhumanisme-1957-2/

TRITSCH, Danièle et MARIANI, Jean. « L'imposture du transhumanisme », *Pour la science*, 22 mai 2018. En ligne : pourlascience.fr/sd/science-societe/limposture-du-transhumanisme-13364.php

INTERNET DES OBJETS

« A Guide to the Internet of Things », intel.com. En ligne :intel.com/content/www/us/en/internet-of-things/infographics/guide-to-iot.html

ABRAMOVICH, Giselle. « 15 Mind-Blowing Stats About The Internet Of Things », cmo.com, 17 avril 2015. En ligne : cmo.com/features/articles/2015/4/13/mind-blowing-stats-internet-of-things-iot.html

KLAVERIA, Kelvin. « 13 Stunning Stats on the Internet of Things », Vision Critical, 13 avril 2019. En ligne : visioncritical.com/internet-of-things-stats/

JUICERO

GORDON, Robert J. *The Rise and Fall of American Growth: The U.S. Standard of Living Since The Civil War*, Princeton University Press, 2017

HUET, Ellen. « Silicon Valley's $400 Juicer May Be Feeling the Squeeze », Bloomberg.com, 19 avril 2017

TARNOFF, Ben. « America has become so anti-innovation–it's economic suicide », The Guardian, 11 mai 2017. En ligne : theguardian.com/technology/2017/may/11/tech-innovation-silicon-valley-juicero

LOPHT HEAVY INDUSTRIES

« Hackers Testifying at the United States Senate, May 19, 1998 (Lopht Heavy Industries) », vidéo en ligne : youtube.com/watch?v=VVJldn_MmMY

GOTTLIE, Bruce. « HacK, CouNterHaCk », *The New York Times Magazine*, 3 octobre 1999.

SZOLDRA, Paul. « I spoke with a hacker who could have taken down the Internet in 30 minutes », *Business Insider*, 6 juin 2016. En ligne : businessinsider.com/space-rogue-lopht-1998-testimony-2016-6

LINKEDIN

The *New Yorker* cartoon Caption Contest. En ligne : contest.newyorker.com/CaptionContest.aspx

PETERS, Tom. « The Brand Called You », Fast Company, 31 août 1997. En ligne : fastcompany.
com/28905/brand-called-you

LOVELACE, ADA

CELANIA, Miss. « Ada Lovelace: The First Computer Programmer », Mental Floss, 3 octobre 2015.
En ligne : mentalfloss.com/article/53131/ada-lovelace-first-computer-programmer

SPEKTOR, Brandon. « The World's 1st Computer Algorithm, Written by Ada Lovelace, Sells for
$125,000 at Auction », LiveScience.com, 24 juillet 2018. En ligne : livescience.com/63154-ada-
lovelace-first-algorithm-auction.html

MINAGE

LAURENT, Lionel. « Bitcoin Plunge Exposes a Fundamental Flaw », *Bloomberg
Businessweek*, 13 novembre 2017. En ligne : bloomberg.com/news/articles/2017-11-13/
bitcoin-s-boom-is-unsustainable-in-more-ways-than-one

MOBILITÉ

PEREZ, Sarah. « Consumers Spend 85 % Of Time On Smartphones In Apps, But Only
5 Apps See Heavy Use », Tech Crunch, 22 juin 2015. En ligne : techcrunch.com/2015/06/22/
consumers-spend-85-of-time-on-smartphones-in-apps-but-only-5-apps-see-heavy-use/

YAROW, Jay. « Turns Out People Aren't Actually Getting Bored With Facebook », Business Insider,
4 avril 2013.

MOTHER OF ALL DEMOS

GRAY, Dr Jonathan. « "Let us Calculate!" : Leibniz, Llull, and the Computational Imagination »,
Public Domain Review, 10 novembre 2016. En ligne : publicdomainreview.org/2016/11/10/
let-us-calculate-leibniz-llull-and-computational-imagination/

SatoriD. « How the Sixties Counterculture Shaped the Personal Computer
Industry », Medium.com, 12 septembre 2017. En ligne : medium.com/@satorid23/
how-the-sixties-counterculture-shaped-the-personal-computer-industry-b34192c79780

MYSPACE

CHOKSHI, Niraj. « Myspace, Once the King of Social Networks, Lost Years of Data From Its
Heyday Image », *The New York Times*, 19 mars 2019.

OBSOLESCENCE PROGRAMMÉE

Prêt à jeter : L'obsolescence programmée, Cosima Dannoritzer, Arte.

POKÉMON GO

BORGES, J. L., *Histoire universelle de l'infamie/Histoire de l'éternité*, Paris, Union générale d'éditions, collection 10/18, 1994. (Première édition française, 1951) Page 107. Le texte, cité ici en entier, s'intitule « De la rigueur de la science ».

BOYD, Danah. « Pokémon GO Lets Young People Socialize With Each Other », *The New York Times*, 13 juillet 2016.

POMME (croquée)

ALYSON, Sasha et CHAPPLE, Joe. *The Alyson Almanac: A Treasury of Information for the Gay and Lesbian Community*, Alyson Publications, 1989.

PRÉDICTIF (analyse prédictive des crimes)

Prévision et prévention des crimes et délits, Des solutions d'analyse avancée pour renforcer la sécurité publique, Livre blanc, IBM Software.

SELFIE (égoportrait)

GUNTHERT, André. « La consécration du selfie », *Études photographiques*, 32 | Printemps 2015, mis en ligne le 16 juillet 2015. En ligne : journals.openedition.org/etudesphotographiques/3529

TRANSHUMANISME

Chareaudeau, P., Maingueneau, D. *Dictionnaire d'analyse du discours*, 1992.

BOBOC, Jean. *Le transhumanisme décrypté. Métamorphose du bateau de Thésée*, Éditions Apopsix, Paris, 2017.

TURC MÉCANIQUE

mturk.com/

Cardon, D. et Casilli, A. *Qu'est-ce que le Digital Labor ?*, Bry-sur-Marne, INA, coll. « Études et controverses », 2015, p. 92.

UBÉRISER

CUNY, Delphine. « Tout le monde a peur de se faire Uberiser », *La Tribune*, 17 décembre 2014.

SCHMIDT, Éric et COHEN, Jared. *The New Digital Age, Reshaping the Future of People, Nations and Business*, Hodder & Stoughton, 2013, 336 p.

POMMERAY, Denis. *Le plan marketing, communications digitales*, Dunod, 2016.

UTOPIE NUMÉRIQUE

« An Interview with John Markoff – What the Dormouse Said », *Ubiquity*, Volume 2015, Issue August. En ligne : ubiquity.acm.org/article.cfm ?id=1088206

SatoriD. « How the Sixties Counterculture Shaped the Personal Computer Industry », Medium.com, 12 septembre 2017. En ligne : medium.com/@satorid23/how-the-sixties-counterculture-shaped-the-personal-computer-industry-b34192c79780

TURNER, Fred. « From Counterculture to Cyberculture: Stewart Brand, the Whole Earth Network, and the Rise of Digital Utopianism », Chicago : University of Chicago, 2006. En ligne : http ://people.ischool.berkeley.edu/~duguid/articles/Turner2.pdf

WEBCAM

Gonville & Gaius University of Cambridge. « The Caian, the coffee pot and the webcam - an award-winning combination », 23 novembre 2017. En ligne : cai.cam.ac.uk/news/caian-coffee-pot-and-webcam-awardwinning-combination

YOUTUBE

CARTER, Lewis. « Web could collapse as video demand soars », *The Telegraph*, 7 avril 2008. En ligne : telegraph.co.uk/news/uknews/1584230/Web-could-collapse-as-video-demand-soars.html

AMADEO, Ron. « Cheaper bandwidth or bust: How Google saved YouTube », *Ars Technica*, 23 avril 2015. En ligne : arstechnica.com/gadgets/2015/04/cheaper-bandwidth-or-bust-how-google-saved-youtube/

WIKI, GIF & LSD

L'ENCYCLOPÉDIE ANECDOTIQUE DU WEB

Textes Matthieu Dugal et Fabien Loszach
Collaboration à la rédaction Marie-Michèle Giguère
Direction de projet et édition Aurore Lehmann
Design graphique et mise en page Balistique
Illustrations Annie Carbo
Production Jeannie Gravel
Révision Muriel Steenhoudt
Correction d'épreuves Vincent Fortier
Coordination Violaine Ducharme
Direction éditoriale Emilie Villeneuve
Direction générale Antoine Ross Trempe

Les auteurs tiennent à remercier Stéphanie Harvey, Thierry Karsenti, Gabrielle Madé, Mélanie Millette, Cynthia Savard Saucier et Jeff Yates pour leur collaboration.

Les noms de marques cités dans ce livre sont des marques de commerce ou des marques enregistrées détenues par leurs propriétaires respectifs. Les mentions légales reliées à la protection des marques ont été omises afin d'alléger le texte.

Publié par
Les Éditions Cardinal
7240, rue Saint-Hubert
Montréal (Québec) H2R 2N1
editions-cardinal.ca

Dépôt légal : 2019
Bibliothèque et Archives nationales du Québec
Bibliothèque et Archives Canada
ISBN : 978-2-924646-51-9

Financé par le gouvernement du Canada | Canadä

Nous reconnaissons avoir reçu l'aide financière du gouvernement du Québec – Crédit d'impôt remboursable pour l'édition de livres et programme d'Aide à l'édition et à la promotion – SODEC.

ISBN : 978-2-924646-51-9
Imprimé au Canada

Cet ouvrage, composé en Ogg (Sharp Type) et Arno (Adobe Fonts),
a été achevé d'imprimer pour le compte des Éditions Cardinal en septembre 2019
sur les presses de l'Imprimerie HLN, à Sherbrooke, Québec.